国家出版基金项目
NATIONAL PUBLICATION FOUNDATION

《三联经典文库》

第二辑

2012年国家出版基金项目

三联经典文库

190

电影戏剧表演术

洪深 著

生活·讀書·新知 三联书店

图书在版编目(CIP)数据

电影戏剧表演术 / 洪深著. -- 北京 : 生活·读书·新知三联书店, 2014.1
（三联经典文库第二辑）
ISBN 978-7-108-04764-9

Ⅰ. ①电… Ⅱ. ①洪… Ⅲ. ①电影表演 – 表演艺术②戏剧表演 – 表演艺术 Ⅳ. ①J912②J812.2

中国版本图书馆CIP数据核字(2013)第261786号

190 电影戏剧表演术

责任编辑　曹明明
封扉设计　蔡立国
责任印制　宋　家
出版发行　生活·讀書·新知 三联书店
（北京市东城区美术馆东街22号）
邮　　编　100010
经　　销　新华书店
印　　刷　北京鹏润伟业印刷有限公司
版　　次　2014年1月北京第1版　2014年1月北京第1次印刷
开　　本　787毫米×1092毫米　1/32　印张　9.375
字　　数　129千字
定　　价　35.00元

《三联经典文库》出版缘起

适逢生活·读书·新知三联书店八十华诞，为弘扬传统，接续文脉，回报读者，服务社会，我们决定策划出版《三联经典文库》。

1932年7月，生活书店在上海创办，此后，读书出版社和新知书店相继成立。本文库第一辑、第二辑所选图书，来自于这三家出版单位及其分支机构，以及1948年生活·读书·新知三联书店成立后的出版物，始于1932年，截至1951年，两辑各一百种。此为第二辑，涉及政治、经济、社会、军事、思想文化诸领域，涵盖专著、文集、散文、小说、诗歌、传记、报道等体裁，既有直面现实、追求真理、讴歌真善美、抨击假恶丑的原创作品，又有引介世界各国先进文化、传播新知、开启民智的迻译之作，真实记录了那一代知识分子的思考与探索、理想与愿景和对中华民族文化传承与创新所做出的努力与贡献。

本文库所辑入各书，多为名家名作，在版本方面，以初版一印本或经著译编者审定、修订、增订过的版本为首选，因此本文库又具有较为珍贵的版本价值和收藏价值。

本文库还将编选续辑，使之成为恢弘文化工程。诚挚希望读者给予批评和指正，帮助我们完善编选工作，再现三联经典作品之风采。殊为遗憾的是，由于年代久远，一些原著译编者及其后人未能取得联系并奉付稿酬，诚盼版权所有者与我们联系。祈愿三联前辈所创造的精神财富能薪火相传，为中华文化的伟大复兴增光添彩。

《三联经典文库》编辑委员会

2013 年 8 月

凡　　例

一、本文库为重排本，由繁体字竖排版改为简体字横排版。

一、以忠实于原作、整旧如旧为编辑原则，对当时使用的专有名词、外文译名，以及民国时期的语言和特色予以保留。

一、原书注释如旧，编者所出的注释，均以“编者注”标明，以示与原书注释的区别。

一、对原书残缺或字迹漫漶之处，以□示代。

一、对繁简文本转换时的“如右”、“见左”一类，对应改为“如上（前）”、“见下（后）”。

一、对原书中各种错讹脱衍之处，直接订正，不再以其他符号标示。

一、对数字、标点符号的用法，在不损害原文语义的情况下，做必要的规范。

一、本文库各书均前插原书书影、原书版权页和文库版“本书出版说明”。

一、本书出版说明的撰写，以客观中立为原则，扼要介绍本书的内容、版本流转、著译编者的情况。

本书出版说明

本书可以作为一部电影和戏剧表演方法的专著，也可以作为一部讲授如何进行表演的教材，同时也是洪深先生推荐引介西方戏剧表演方法的代表作。书中通过论述戏剧和演员的关系剖析了表演的基本原理，通过讲解表演时动作和声音的“表情”，分析了演员在表演的时候身体各生理结构的变化，通过两百余幅图，直观地展示了各种表情和肢体动作所反映的情绪以及表演各种情绪时使用身体各部位的技巧和方法。书前附有田汉的序，结合当时的国际国内环境，提出争取戏剧艺术自由发展，又为本书增色不少。

本书由生活书店于 1935 年 2 月初版，并于 1937 年 6 月再版，1940 年 3 月出版第三版。此次出版，即以初版本为底本。

洪深（1894-1955），学名洪达，字浅哉，曾用笔名庄正平、乐水、肖振声等。江苏省武进县（今常州市）人。1912年入北京清华学校，1916年赴美留学，后改学戏剧。1922年回国，在上海先后领导戏剧协社、复旦剧社，南国社成员。1930年代加入左翼戏剧家联盟。抗战期间参与筹组抗战演剧队，积极推动演剧活动。长期执教于复旦大学、暨南大学、山东大学等高校。建国后历任文化部对外文化联络局局长、中国人民对外文化协会副会长、中国戏剧家协会副主席等职。一生编译话剧剧本三十八部，创作有《赵阎王》、《五奎桥》、《香稻米》、《青龙潭》、《包得行》、《鸡鸣早看天》等剧本，导演了《李秀成之死》、《草莽英雄》等剧目，著有《洪深文集》四卷。

生活·读书·新知三联书店

2013年8月

生活书店 1935 年 2 月初版书影

電影戲劇表演術

精裝一冊實價壹圓貳角
外埠酌加寄費

著者 洪深

發行者 生活書店 上海福州路第三八四號

印刷者 生活印刷所

中華民國二十四年二月初版

中宣會圖書雜誌審委會審查證審字第九八三號

原书版权页

目次

献给

丁子明女士

一个诚恳的艺人
一个忠实的友朋

序

从前——一九二七年前后，颇爱同一些爱好旧剧的朋友跑戏园子的后台，中间还包括一些在上海的日本业余戏剧家——“支那剧研究会”的同人，和他们坐在后台的大衣箱上看着伶人们化装时，我们时常很亲切有味的交换着关于中国戏剧的意见。其中有丁君者是中国剧通迂听花的弟子，他看过中国旧戏之多，剧坛掌故之熟，实远在我们之上。那时我们和海派名伶——周信芳（麒麟童）很相熟，所以也爱跑天蟾的后台。据丁君说：“中国南北伶人中会唱的虽多，而最懂得 acting 的要以麒麟童为第一。”他这个见解曾发表在他们的会刊上。许多人都认为他是“知音”。

信芳自从不得志于上海，一时“北走燕赵”，在世界经济恐慌，中国国民经济继续崩溃，固步自封的封建艺术日趋没落的过程中，在北方也是营业不振，现在据说他潦倒在大连营口之间。不知道南归何日。每忆及这南方的名优的优秀表演时，很是替他怅然，他所处的环境限制了他的艺术的发展。

假使周信芳先生是中国旧伶人中最懂得 acting 的，那么我们洪深先生便是新戏剧家中学理地实际地最懂得“表演术”的。这也是“天下的公言”。然而洪先生也和信芳一样不得意于海上，将有青岛之行，这不禁使我又唱起“艺术家的悲哀”、“人生之行路难”的旧调。显然地，洪先生和信芳一样给环境限制了他艺术上的发展。

洪先生已经是四十岁的人了。这使他有时叹息着说：“咳，我现在有些老了，不成了。”在他赴青岛之前将发表他那倾注着半生蕴蓄的大著《表演术》，这对于我们这些爱好戏剧艺术的学徒们是非常宝贵的寄予。Stanislavsky 发表他的《演剧论》时这样说：

> 这是一种极烦杂但又极重要的工作，关于这，许多有能的大家们几乎一点也没有告诉我们，这些人们把那些知识都带到坟墓里去。但

是我以为把自己的技艺不论巨细地写下来是我们演剧者的义务。否则他的玩艺儿仅仅为同时代人而存在，人亡而其艺术亦随之而亡。所以我决心趁一息尚存为着成长中的新时代的人们完成这最后的使命……

这样他的七十岁的高龄，受着新时代青年的崇敬和督促完成了他那共五卷的大著。洪深先生的最近的述作，无乃抱着这俄国老戏剧家同样的心情？

但是多写有用的书以贡献于后学虽是非常可庆喜的事，而迟暮之感于洪先生却不宜有。至少洪先生到 Stanislavsky 写《演剧论》还有三十年。无论在理论的介绍上或实际活动上，中国新兴戏剧之建立，有待于洪先生们的精力的奋斗者还不知多少。我们虽没有 Stanislavsky、Meyerhold 们所享有的顺利的条件，但是这条件不是天上落下来的啊！当洪先生满四十岁那天，洪先生也曾自慰地引过一位美国著者的书名，说：

人生从四十开始！

孔子也说过：

> 四十而不惑。

正因为到了四十之年，学问和阅历都达了相当成熟之度，可以很正确地判断事物，这样就可以很坚决地开始有意义的人生。最近以八十八岁去世的“日本海的英雄”的东乡平八郎，当他以浪速舰长参加中东战争时已经四十七岁，正是中国文士“谈狐说鬼”、“出全集”之年，但假使真那样办了，对马海峡那样赌国运的战争早没有他了，而东亚的形势或者大异于今日。现在我们却又躬逢第二次世界大战的前夜，我们中国民族在重重的国难中已被逼着选择为自由而奋战或是长沦为帝国主义的奴隶。读《五奎桥·自序》知道洪先生在第一次大战中激于正义感应募过美帝国主义召集的对德远征军，把帝国主义的“火并”看成民主主义对于军国主义的正义的战争，正和日本许多反动政治家们把日本帝国主义侵略中国的战争看成日本所谓文明的皇军，对于野蛮的中国军阀的进步战争一样，显然是可耻的武断宣传，我们而一时不能不为他们所欺是我们的“惑”处；现在我们可以“不惑”了，但我们的“正义感”却不会因年龄而消灭；恰恰相反，凡有血气的人莫不因日本帝国主义不断的所加于我民族的侮辱、侵夺与屠杀而把他的憎恶与愤怒逼到最高度。在这样危机一发的场面，洪先生若能像一九一七年那样的奋起，领导青年断然为正义而战，因以争取我们戏剧艺术自由发展的条件，这样才是**我们最高的表演**！

一切的表演应该服从这个内容，人家常常说洪先生精于表演术，一举手一投足都有不知道若干的法子，但表演术的精义，应该是**不仅罗列着许多不同的法子，而在于能极正确切当地择定在某一个条件下所必要的唯一个法子**。比如甲国和乙国之间，或是帝国主义国家和半殖民地国家之间，原也可以有种种的关系，但在目前中国和日本帝国主义的场合，好的表演家所能择定的只有唯一一个法子——宣战！

我是这样想的，质诸洪先生和本书的读者以为如何？

田汉二三，十，五。

第一章 戏剧与演员

戏剧与人生——故事与人物——戏剧的特点——演员的任务——表演的工具——身体的三个部分——全身有动作——看得见的与做得主的——可以做主的动作——发音的三个要件——呼吸的机械作用——发音的机械作用——声音的变化——音调与语言——可以做主的声音——表演的根本

一

戏剧与人生

戏剧是人生的解释、记录、反映——将人生中不良不妥的成为问题的情事，由几个扮演人，仿效了（即表演了）给一般人观看；用意是在改善人与人之间的关系，革除这些不良不妥的情事；这就是戏剧。不过人生是十分琐碎而复杂的；戏剧对于人生，不能像摄影对于景物那样，一些不走地反映。因为人生的一桩情事断不能单独地存在着的，必然和其他许多的情事有错综的关系。如果要把这些一切，包罗万象地映在一出戏剧里，虽然未始是不可能（已往有人这样做过），但是恐怕这样复杂的戏剧，也和复杂的人生一样，不是一般观众，一看所能了解的了。为了要使得观众容易看与容易懂，那剧作者武断地将人生划成段落，编成所谓故事。

故事与人物

故事不外是叙述一个或一群人受了环境的压迫后所发生的调整的行动与企图。故事是一个或一群人感到了不便，经到了痛苦，遇到了危难，受到了威骇之后所不能不做的一种应付。应付过了，困难、痛苦、危险、威骇没有了，故事也就完了。所以故事是用几个固定人物构成的，所写只是他们几个人的事情；故事又是自为起讫的，所写只是他们几个人的某一种或某一时期的阅历。那剧作者虽然明知人生的伟大性（仅用少数人来代表全体，难得能够普遍包括与完全忠实的），又明知人生的连贯性（某一事实某一情况某一问题，决不是在某一时期完全开始，与在某一时期完全结束的），但他不能不运用故事，把人生的一部和其他部分析离；好像一个化学家，为要透彻地明白氮气的特性，不得不把氮气设法和空气中氧气氢气以及其他气类隔离，而单独去研究它一样。戏剧必须有了首尾完备的故事，故事必须有了个性清楚的人物，而后才能将它所反映记录的人生，解释得更为透彻；并且在看戏的时候，才能使得观众们易于跟随，易于领会和易于认识。

戏剧的特点

别种文艺形式，也有运用故事的，如说部，短篇小说，叙事诗等。但是它们刺激观众，告诉观众，对观众说话的方法，是间接而非直接的。在诗歌小说中，作者只能将故事的经过，人物的形状行动声音，用文字叙说出来；文字无论如何生动与准确，观者所看见的只是代表人生的文字，而不是人生本身。观者受了文字的刺激之后，他得利用他自己对于人生已经有的阅历，把那文字所代表的人生，重新创造出来给他自己看。他在读诗歌小说时所发生的对于人生的感想印象认识，都是这样转几个弯得来的。看戏剧却绝对不须这样。人生的一切，全都在他的面前；观者无须从文字上创造人生，他竟是在亲自阅历着了。他的获得感想印象认识，和他平常做人处世时一样。因为在台上，他可以遇见许多人，和他每日所遇见的一样。这些人谈说着，行动着；并且在谈说行动里，隐隐地潜意识地告诉旁观者，他们是怎样的人，有些什么心思什么情感，正在经遇着什么困难，所待解决的是什么问题。**戏剧是这样刺激观众的视觉与听觉的；剧中故事的展开，处处须是视觉化听觉化了的。**这是戏剧的特点，也是它和其他叙说故事的文艺根本不同的地方。

二

演员的任务

扼要的讲起来，演员的任务，也不过是依照剧本所规定，去刺激观众的视觉与听觉。剧本规定了他应当说某几句话，他第一须是会得说这几句话；不论是那一国的语言，那一地的土音，那一群人的切口，他都能学习上来，不致显出“外行”。他又须是能够将规定的话讲得明白而且有力；这就是“口齿清楚，抑扬有致”，对于吐音咬字念句有研究。他又须能将这几句话，说来恰合他所扮演的人的身份和心事；这就是声音的情感化。他又须能长时间的说给观众听，而不使他们觉得单调，发生厌恶；这是他的音质的美丽化。他又须能职业地使用着他的喉咙，不会因疲乏而破败嘶哑；这是他的能“保护”他自己的声音。必须是这样了，他的表演，才能“耐听”，才能有效地刺激观众的听觉。

剧本又规定了他应当做某几项行动，他必须是能够充分地“优雅”地都做将出来。也许这几项行动，是极普通的，是平日生活中所常用的，如开门、闭窗、吸烟、饮茶、脱帽、就坐之类；他便须做的简洁美观自然。也许这几项行动，是“发现”或显露他所扮演的人的心事或情感的，如愤怒、恐怖、恋爱、悲哀、怀疑、怨恨之类；他便须做得清楚真实有力。也许这几项动作，是表示生活的习惯与状态的，如水手兵士的举动粗鲁，社交女子的态度圆转，传教牧师的道貌俨然，颓废怠惰者的萎靡不振之类；他便须做得完备诚恳可信。也许这几项动作，是属于特别的职业或人物的，如兵士的瞄放，如赛马骑师的操乘，如理发匠的使用夹刀，如小窃的撬门拧锁之类，他便须做得准确熟练“在行”。凡是人生可以有的行动，在戏剧里都可以有；一个当演员的，也就都得会做，而且须能做得有组织，做得有变化，做得不费力。必须是这样了，他的表演，才能“耐看”；才能有效地刺激观众的视觉。

表演的工具

动作与声音，都是从演员自己身上发出来的。所以表演的工具，就是演员的身体。固然在有些时候，身体以外的东西，如化装服装等也可以现出所扮演的人的地位、职业、年岁、个性，又如灯光音乐也可暗示情感，给予表演上很大的帮助（善于利用这些，本也是表演艺术的一部分），但是演员的基本工具，还是在他的身体。做演员的人，必须了解他自己的身体；训练他的发音器官，和他的可以听他指挥的随意肌筋（voluntary muscles），以求能够使用得不费力，有效果。

三

身体的三个部分

表演的工具是身体。我们如果稍为留心一下身体的动作，我们可以看出三个不同部分：每个部分里的动作，似乎有它的特别意义的。第一，头部：头及眉眼口鼻等；这里最可以看出一个人的心思，因为人身的主要的知觉器官集中在这里，而且人的声音，也从这一部位出来的。第二，身体中部：肩以下，腿以上；这里好像是表示人和人之间的情感关系的，心脏生长在这个部位里，一个人在情感冲动的时候，血的压力与心的跳跃都起变化；而人们在表示喜悦便转身向着对象，不悦便转身背着对象，十分爱悦便把心胸贴近着对象（将它抱在怀里），意义也很清楚的。第三，四肢：即手臂与腿脚；这里的动作，于生活更有具体的影响，更是积极的帮助生活；凡是四肢所能表示的，必然是爽直坦白而不会婉转的。

全身有动作

大约的讲起来，分成这样三个部分，可算是不错的。

不过事实上，身体的动作，非常繁复；有的明显，有的却是甚为微妙；有的引人注意，有的却是几乎完全看不出。而且全身的动作有相互的关系，不是可以分成部位，各自独立的。一个人受了刺激而起反应，尽管只有其中一部分即身体外面横纹肌的动作，容易给人看得见；但那身体内部（脏腑与腺）的平滑肌底看不见的动作，未必不如那看得见的一样重要。演员表演剧烈的情感，而不能了解或竟是忽略了这些身体内部看不见的动作，仅仅是仿效了外面的粗枝大叶的动作，结果表情一定流于浮浅，而不会深刻的了。再就那可以看得见的动作而言，虽然有的宽阔明显，有的隐细微妙，但它们是在反映同一刺激，应付同一环境：因此所表现的，正是同一东西。[1]要完成一个表情，眉毛的一抬和手臂的一抬，同样是必要的；转动的眼珠与那立定的脚跟，同样是非此不可的。演员如果只注意了那最明显的几项。而不留心到其他虽非能引人注目但实是帮助的合作的动作，结果是表情一定流于零碎，而不会是完全的了。

[1] 故事是一个人的对于环境的整个的应付；表演的动作，是一个人的暂时的一节的应付。

看得见的与做得主的

身体的动作，有的容易看得见（如眉头皱起，呼吸急促，汗下如雨，面孔涨得通红之类）；有的不容易看得见（如心跃加速，肌筋紧张，面色灰白如土之类）；有的完全看不见（如血压增高，口里干得没有唾液之类）。在那看得见的动作中，有的是完全可以做得来主的，如皱眉；有的是只能做得一半主的，如喘息；有的是完全做不来主的，如出汗。那旁人看得见而自己又做得来主的动作，都是由于横纹肌筋收缩而成的。演员的使用工具，至少要有对于这种肌筋完全指挥管束的能力。

可做主的动作

所幸的是，包在身体外面，皮肤之下的，都是这种横纹肌筋（striped muscles）。所以人的头眼眉口与四肢手脚等的动作，可以随人的意志支配；不像身体内部的平滑肌筋（smooth muscles），只可间接设法刺激，而不能直接做主指挥（见本书第二及第三章），使用来表演是比较困难的。在表演的时候，当然是那可以随意动作的横纹肌，使用得最多，最为忙碌；它们的放松与收缩，造成身体外面的各式各种动作。它们能使得演员的**头**抬起，低下，倾侧，垂倒，伸前，缩后，别转，或旋动。又使得演员的**眼**上盼，下视，斜睨，或旋转。又**眼皮**睁大，缩小，上抬，或下降。又使得演员的**眉**展开，皱紧，抬起，压低，抬起而皱紧，压低而皱紧，皱紧而将眉心抬起或抬起而将眉心皱紧。又使得演员的**鼻**张大，收缩，上抬，放下，张大而上抬，或放下而收缩。又使得演员的**唇**张开，张大，合拢，闭紧，口角向上，口角垂下，外伸（即努着嘴唇），或缩进。又使得演员的**颚**抬起，垂下，向前，或缩后。又使得演员的**身体**展开，收缩，上升，下降，弯折，斜侧，朝前，靠后，扭转，或旋摇。又使得演员的**臂**举起，放下，弯转，摆动，伸前，缩后，挥舞，或旋转。又使得演员的**手与指**展开，握拢，举起，放下，弯转，斜侧，或旋转。又使得演员的**腿与脚**抬起，放下，弯屈，旋转，摆动，伸前，缩后，蹴踢，或跨步。在表演的时候，演员就是做着这些动作，以刺激观众的视觉的。

四

发音的三个要件

演员的第二个工具，是他自己的发音器官；这和戏台上吹的喇叭一样，须要一个吹气的机关，与一个受了振动而发音的簧管；这在人体内便是肺和声带；但是比喇叭还得更进一步，不仅使用一个固定形状的喇叭口而须要一个可以随意变动式样的喇叭口，使得音的式样也随之变动而成为许多不同的声响；这在人体内便是口鼻腔。

呼吸的机械作用

空气从口里或鼻里吸进去，经过喉头，气管，支气管，小支气管，一直到无数的肺泡里（这里发生弥散作用，肺里的氧，输入血液，而血液里的二氧化碳，透入肺内）。空气又从肺里呼出来，经过小支气管，支气管，气管，喉头，口腔或鼻腔而达到体外（图一）。吸时肺胀大，体外空气，被吸而进肺内；这是“自动”的（就是说肌筋须起收缩的），第一**胸膈膜**收缩，第二**肋骨**高举，使得胸腔放大，肺脏有胀大的余地。呼的时候肺缩小，肺内的空气，被榨而出体外；这是“被动”的（就是说肌筋只须放松的），第一，肺伸胀后亟须回复常态；第二，外层肋间肌收缩后返须宽息，让肋骨下降；第三，胸膈膜收缩停止，将以前压下去的腹腔的消化器官，放还原状。平常的呼吸，只是一个自动的吸气和一个被动的呼气。但有时候，我们“作用力呼吸”，那便须要呼气肌筋的动作了，第一，内层肋间肌起收缩，使得肋骨特别下降而胸腔比寻常还要小；第二，肚皮肌肉收缩，使得腹腔消化器官向上移动，再占据些胸腔的地位。这是一个人呼吸的机械作用。

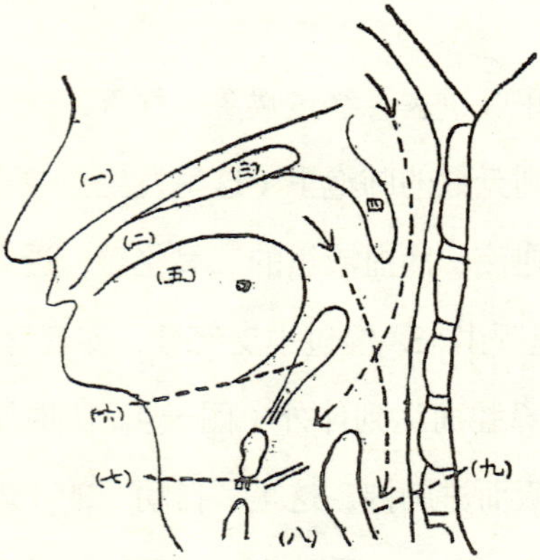

一鼻腔　二口腔　三硬腭
四软腭　五舌　六喉门盖
七声带　八气管　九食道

图一

发音的机械作用

喉头在气管上端，为甲状、环状、楔状、绪软骨所组成。甲状软骨像盾牌，盾面朝前；环状软骨像一只印章戒指，印章向后；楔状软骨像三角立体形，两块并列着，顶尖向上，底盘向下（图二）。甲状软骨在最上，最下为环状软骨；在两者之间，靠后面，牢装在环状软骨的顶巅上的，为那两块楔状软骨（图三）。在甲状软骨差不多一半高低的地方，横盖在喉内，有两块纤维膜；每一块前面和甲状软骨相连，后面各系在一个楔状软骨上（图四），就是声带（yocal cord）。声带原是声膜，像蒙在鼓上的皮一样，不过在当中割开一条缝而合缝处膜皮稍厚而已。楔状软骨可以开合；开的时候，尽管空气从其间走过，而声带不生颤动，即不会作声（或至多只能生微小的颤动，发微小的声息，图五）。但是在楔骨合拢的时候，气流外达，便必须从那纤维膜的合缝处即声门（glottis）挤迸而出，于是震动了声带，发生乐音。

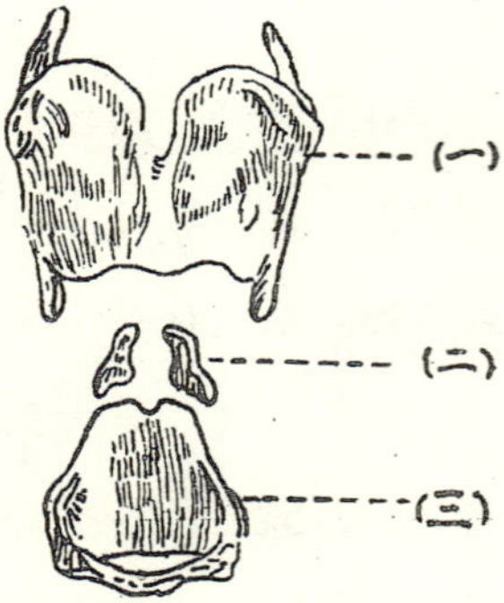

一甲状软骨　二环状软骨　三锥形软骨（亦名楔状软骨）

图二

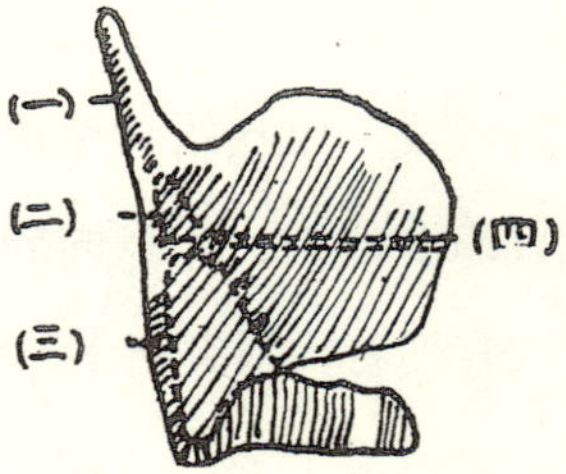

一甲状软骨　二锥形软骨　三环状软骨　四声带

图三

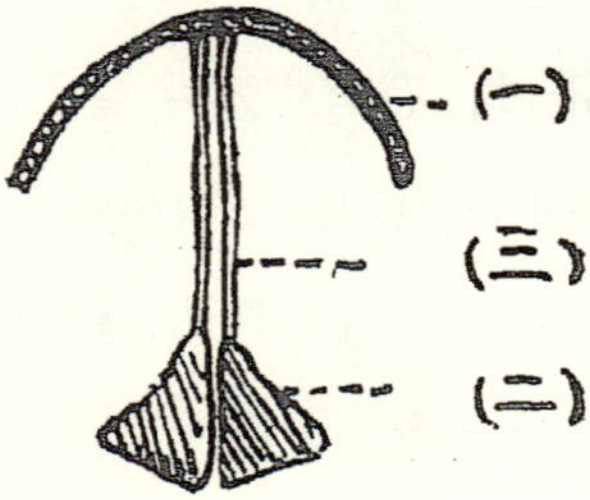

一甲状软骨　二楔状软骨　三声带

图四

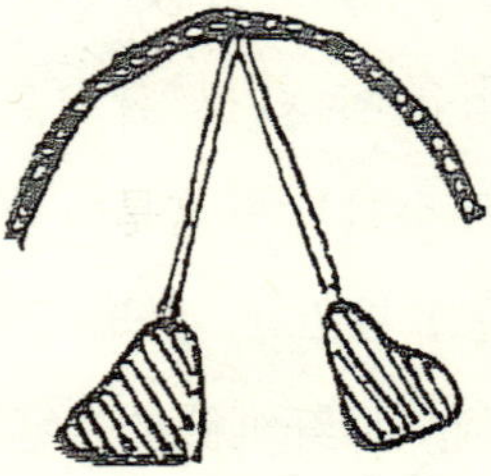

声门开放时情形

图五

声音的变化

声带的振动，又可以说像那广东人使用两根竹槌打奏的洋琴上的弦线。**弦线长的，调门低；弦线短的，调门高**（发育完备的女子，声带约长半英寸，发育完备的男人，更长三分之一；又男女在发育的时候，声带都加长增厚，所以小孩的声音比成人高，女人的声音比男人高；各人声带的长短，生成略有不同，短的统比长的高）。**又弦线张得宽的时候，调门低；拉得紧的时候，调门高**。声带的长短，在生成之后，是无法更改的；但是声带的紧松，是随意可以做主的（欲将声带放松，务使甲状与环状软骨不动，另用肌筋，稍微牵动两块楔状软骨朝前；欲将声带拉紧，环状软骨不动，并拉牢楔状软骨，另用肌筋，将甲状软骨，压下推前），这是一个人的改变他声音的即调门的高低的唯一方法。调门高，一般人也称为“声音尖”。调门的高，不可与声音的响相混。高和声带震颤的迟速有关系（声带长或厚或松的，震颤较迟，音低；短或薄或紧的，震颤较速，音高）；响却是与那从肺呼出通过声门的气流的大小强弱或比例（气流的量积大而力道强的，纵使调门甚低，声音甚响，可以及远；而那些“气息仅属”或是“有气无力”的，声音自然低得给人家听不见）。我们在呼吸的时候，声带向两面分离，声门是大开的，所以声带不起震颤而没有声音。声带逐渐地合拢，声带的震颤，便也逐渐的积极了。一个在用他本音说话的时候，声带必须并紧，而后发音才能**明朗**；如果声带不十分并紧（虽略为放开，但是气流仍是挤迸而出的），即成通常所谓**假嗓**，音质单薄而且调门比他的本音要高出一段了；又如果声门更加放开，声带只是稍微的接近（气流只有一部分去震动声带，一部分从半开的声门“走漏”掉了），即成通常所谓**哑音**；欲使旁人听见，反而要用更多的气力了。一个人的声带的厚薄，本是生成的；但有时声带发肿（因为用得太多，或失眠，或有病，或是受了烟与酒的刺激等），声音也会变成低而重，这是暂时的。但如果一个人不知道或事实上不能爱护他的喉咙（如酒徒的纵饮无度，卖报人的日夜呼喊之类），他的声带便会成慢性肿；驯至声带边缘上发了毛，永远不能再行并紧，他的声音，便永远是嘶哑的了。最后，呼出的气流，应当全从口腔到达体外，或全从鼻腔到达体外，不可一半走鼻腔，一半走口腔；如果这样，那口后喉上的软腭，便会荡空而阻碍了气流，并且被气流撞击而生声响；在发音的时候，即能使得所发的音不干净而带有嗡鼻音；在不发音的时候，也可发生类似马的喷鼻或人的打鼾声。

音调与语言

这些声音的变化，在表演的时候，都可取来使用，但这些只是“自然人”的声音，和兽叫禽鸣差不多，可以多少说明作声人的情感，而很难传达他的意思的。传达意思须仗语言；这要靠后天的学习才能，不是一个人生成就会的。语言，简单的讲起来，是一个特别声音和一个特别事物的联系，而这个联系，是由使用该项语言的人群，根据他们的生活劳动的习惯而建立起来的；某个声音，所以能代表某个事物，不是必定有什么必然的理由，只须社会对它同意或默认即可。人生的事物是这样的多，我们便须有许许多多不同的声音去代表它们。上节所讲的几种变化是不够用的，我们还须利用别种变化的方式——即是利用那鼻、舌、齿、唇等单独或联合地阻厄或摩擦所发的声音。就我国的语言而论，气流自由向外奔放，口腔形式改变，但尚未成为障膈的，所发的声音（称为主音或韵母）有不同的十六个；气流向外奔放时多少受到阻碍而发生的声音（称为辅音或声母）有不同的二十七个，两相配合，以二十七乘十六，在理论上可得四百三十二音（虽然在实际上没有这样多，因为有几个主辅音是不能相互配合的）。再加上阴阳四声的变化，以及用几个字连缀成的成语或特别名词，也很足以表达人们的意思了。

可以做主的声音

做演员的，如果能训练得他的发音工具，完全受他的支配；他的打气机关（肺胸）、发音机关（喉头）、改音机关（口鼻腔与舌齿唇）的肌筋的动作，完全受他的指挥。他当然便有能力，把任何表达意思的字音，任何表达情感的音调，按照需要，随意发出。这时候他才是极尽了刺激观众的听觉的能事了。

五

表演的根本

戏剧表演的成功，可使看的人，对于人生某一种情况，本来不注意的，现在非常关心；本来不理解的，现在有了认识；本来是无所可否的，现在有了确定的态度；本来是可以放任的，现在有了积极的主张。可是这里并没有什么奇迹，也没有什么秘法的。演员只是本分地做他应做的几件事：一方面忠实地仿效人生，仿效那所扮演的人；一方面时时记得，所仿效的一切，并非是“为了仿效而仿效”，而实是有计划地有意义地刺激观众的视与听。伟大的效果，由于逐项的无数的刺激积累而成的。所以表演的根本，还是演员的运用他的肌筋——他的动作以及发音的肌筋。演员须不断地练习着他的肌筋，使得它们完全听从他的指唤；使得身体各部分凡是可以做得来主的肌筋，都能伸缩随意；使得他能够把他自己的身体，整个地或局部地随意可以用力或放松；使得他能够集中气力在某一部分，或从某一部分完全抽去气力——是的，放松与抽去气力，乃是演员是否能自己做主的试验与表征——一个演员能够做出剧本中规定他应做的一切，且能每项都做得胜任，没有偶然，不须碰机会，不是时好时歹，不是没有把握，而能处处由自己做主，一切经过选择与计划，这就是表演的术！

第二章　动作

为什么会动作——人体的自然反应——日常生活的动作——有情绪时的动作——不遇阻碍，不生情绪——呆住与仓皇——有情绪时的意外能力——情绪的发泄——借题发挥等等——没有刻板的情绪发泄法——社会变更了人的自然反应——抑制与替代——社会动作的学习和自然动作的训练

一

为什么会动作

身体的动作，决不是无原无故而来的。凡是**动作**都是一个受了刺激以后的反应或调整，**都是有利于他的生活**，或是至少可以减少他在当前环境中所受的困难的。有的本

身已经是尽了调整的能事，譬如吃饭的时候，一不小心一粒米跑入气管里去，它刺激了气管里面的黏膜，引起呼吸的收缩，使得肺部吹出一股很有力的气流从口里通过，将这一粒米推出去，这就是人的咳嗽的动作；又如这粒米不跑入气管而走入鼻腔里去，它刺激了鼻腔里面的黏膜，也引起呼吸的收缩，使得肺部集中一股很有力的气流（此刻不从口里通过，而是）突然地从鼻里挤出，也要将这粒米推出去，这就是喷嚏。如果咳嗽或喷嚏能把这粒米推出，调整的工作即已完毕，用不着再有动作了。有的时候，一种动作仅是复杂的调整作用的第一步，是为以后的动作做准备的；譬如一个人正在握管写文，忽然听见一种奇怪的声响，他自然而然会停了笔，抬起头，把耳朵倾向那声音来的方向，眉毛作皱，身上一部分肌筋紧张，血液走快，呼吸放轻，提神吊胆地注意着；这都是增加他的应付危险的力量的。没有一个动作不是有来历有理由的，这是每个演员应当时时记牢的。

人体的自然反应

好些演员，表演打嚏喷不能像真，大概因为他们不了解打嚏喷的原因和打嚏喷的全部机械作用，而仅仅仿效了鼻里喷气这个浮面动作的原故！所以做演员的，第一，应得研究这些人体的自然反应，为什么一个人会握拳，会张口，会皱眉，会闭眼，会叹气，会叫喊，会流泪，会出汗，会上前，会退缩等等。如果他能精细地观察一个自然人，他不久就能看出，一个人反应那刺激的动作虽然方式繁多，而根本只有两个，就是肌筋的收缩与放松。而这个收缩与放松的引起，又多少是一定的，可以预先晓得。简单的讲起来，对于冷的，起收缩；对于热的，便放松。对于感到不快乐的，起收缩；对于感到快乐的，便放松。对于不愿或不能忍受的，起收缩；对于愿受或欢迎的，便放松。对于须要努力的，起收缩；对于无须用力的，便放松。对于有敌意有危险的，起收缩；对于友谊的亲善的，便放松。人体一切的动作，都不外是这两大类。除非那刺激是混乱的，那么，人体的反应，也会混乱。演员要学习一个自然人的动作，有一个甚好的秘诀：就是研究动作时的肌筋的放松与收缩。

日常生活的动作

不过，演员单是学会了这些自然的反应，是不够用的；因为现代的人所过的不只是一个自然人的生活，他也是一个有文化的人的生活。文化使得他的动作繁杂了，他每天须做许多动作，如果不是为了谋食求生，为别人为自己求幸福，他都可以不做的。穿衣，洗脸，耕田，戽水，开门，点灯，接电话，开无线电收音机，捕鱼，开矿，烧炭，烧窑器，伴舞，鬻唱，打字，作簿记，画造屋图样，放手枪，开高射炮，编剧本，观察天象等等；从简单的大家都会做的，到繁难的专门的，没有一样不可以入得戏剧，就是没有一样不须要演员去仿效。演员应当对于那人人都会做的日常生活的动作，做得自然，简洁，美观；而对于那属于某一职业或某一特别生活状态的人的动作，平时即须随处随时观察留意，而在有表演的必要时，更须扼要的抓住几点，仿效得纯熟、可信而“内行”！这些是表演时所使用的第二类动作。

有情绪时的动作

下面，我们要讲到一个人有情绪时的动作了。通常所谓情绪，其实是指一个人受了刺激以后内部所发生的冲突扰乱与矛盾，由于他有好几个“差不多同样强”的冲动或“促迫”，相互地“牵制”“干涉”“打消”所造成的；这时候他是在一种暂时的“挤轧”“僵持”“停顿”的状态中，一切外面动作的顺利进行，都不可能；这时候他的内部脏腑与腺的肌筋，却是动作得很厉害的（这时候他自己也能够觉得，而人们便把他所觉得的，呼作惊骇、愤怒、恐怖、怨恨等等）。一个人有情绪时的身体动作是非常复杂的；可是这种动作，是最可以使得表演有精彩的。因为戏剧如果是忠实于人生的，必不会不去记录人们处在危难不幸的环境中的挣扎！必不会不是描写人生中危急、紧张、祸福将决、胜负将分的一刻！剧中人既不能不在一个时期中过着“情绪”的生活，那演员的“表情”自然就成为表演的最要部分了。

二

不遇阻碍不生情绪

情绪是一个人受到了阻碍、遇到了困难才会发生的。他本来在做着一件事，忽然地一种阻力使得他不能顺当地继续，或按照原定计划地进行，他的身体便起了反应而做许多所谓情绪的动作。譬如我正在这里写文，忽然一个苍蝇飞来，尽在我鼻尖上旋转，再三驱之不去，扰乱了我的文思，使得我不能安心写作。我便有一股不知那里来的火，直冒上来。寻常一个男子恋爱一个女人，必然是在他追求着她（就是事实上尚有阻力妨碍他们两人结合）的时候；男子对于一个容易达到性的要求的对方，是不恋爱的。如果两人已经结合了而仍然有类似恋爱的情绪，这必然是那结合不十分稳固，时时有那被现犹存在的阻力去破坏的危险的。再如一个人怨恨一个人，必然是在他吃了那个人的亏，而环境不许他照他的意志，去对付或报复的时候；一个人对于他所容易制裁，即容易加以惩罚或责骂的人，如他的属员和自己的儿女之类，是不会怨恨的。在从前封建的家庭里，有权的丈夫，不会怨恨他的妻妾；但是无权的妻妾，却常是会怨恨他的丈夫的。这些都可以证明，情绪是被阻碍困难所引起。

呆住与仓皇

一个人有情绪时的外表动作，有时正和他内部机官的激动一样，成一种冲突扰乱矛盾的现象。所谓瘫呆失措、仓皇无主等，暂时的于他生活是无利益的。某一篇小说，描写一个人家失火——一只猫将桌上的煤油灯打翻，将帐子烧着了——夫妻两人，从梦中惊醒，翻身爬起来，但**两个人都不**救火。丈夫立在一边，望着燃烧的帐子，只顾笑；妻子先去抱桌上的钟，又放下钟又搬桌旁的椅，又放下椅子去抢床上的枕头，又放下枕头……最后掮了几根晒衣的短竹往外跑。这里的丈夫正是"**瘫呆失措**"，理由是他的若干强弱相等而互相矛盾的冲动，同时在发展着，牵制消抵而等于零，使得他索性一点动作都不做了。这里的妻子，正是"**仓皇无主**"，她的若干冲动，很快地接连地发展着，一个动作刚始起头，第二个动作又来，把第一个取消，第三个又把第二个取消，这样一直下去，结果或是动作很多而一事无成，或是做些无关紧要的事，把她所遇到的主要的阻碍与困难，倒不去理会对付了。

有情绪时的意外能力

但是情绪也有它的另一方面。心理学家也曾告诉我们，有些人在有情绪的时候，会得令人惊异地增加了比他“原来所有”数倍大的能力，他会做些他平常绝对不能做的事。譬如一个文弱书生，平常是温文谦让，连说话都不敢高声的，但是他的恋人在公众场所，被人侮辱了的时候，他会勇敢地和人家争论，甚至斗殴，甚至斗胜别人！或是在马路上和他的恋人散步时，忽然听得巡捕追击强盗的枪声，他会拖着抱着恋人逃走，跑得飞快，过后连他自己都不易相信。这是**他身体内部的腺，受了刺激而发生内分泌作用，增进了他身体的应付当前环境的能力与效率了**。尤其是在有畏惧愤怒和类似的情绪的时候，那肾上腺流出的素，一方面停止或减少胃的消化，可以腾出能力移作别用。一方面又激动心脏使得心跃加快，血的循环加速，输进的氧气加多；又激动肺脏，使得肺部扩张，容易通气，疲倦所生的结果物的排除，和氧气的摄收，也是加速加多；又刺激骨骼的横纹肌，使得它们对于神经冲动的善感性加大，更有大力，更能持久；又刺激肝脏，使得肝部倾出所蓄的一种特别糖质，更快地注入血里，作那肌筋工作时的燃料；又使得肝分泌一种液质，使得血液见空气的时候，凝结得更快，受伤的地方，可以少流些血。这里可以见得，一个人的情绪，正是他的能力的重新支配与集中，和那简单的自然反应一样，是有利于他的生活的。最后如果一个人的一种情绪延续着在一个长时期内重复的发生，他的意外能力，便也多少能够持久的。世人不乏因为失恋而争气，因为求恋而拼命的人，他们能做那人家所想不到的冒险坚苦的工作的。

三

情绪的发泄

人在有情绪时所集中增厚的“能力”，当然要寻觅出路，将它适当地用脱。这可以取两种式样，**一是把情绪发泄在本身事件上，二是移换对象把情绪发泄在另外一个与本题毫无关系的事件上**。譬如一个演员，这晚准备表演莎士比亚的悲剧《哈姆雷特》。他正在用心化装的时候，忽遇到一件极不如意的事，即是那后台庶务员，硬把那本来在他化装室里的大电灯，移到女化装室里，给那女主角使用去。这时候他受到阻碍而有了不快愤怒的情绪了。他可以有许多发泄的方法：他可以骂庶务员不是东西；他可叫侍役去将电灯搬回；他可以对他的同事，大发其牢骚，说做了男人总比做女人吃亏；他可以错怪那女主角，高声地说这出戏里只有演哈姆雷特的才是真正的主角，故意使她听见，教她难堪。他可以拿“不登台”为威骇，潜意识地压迫那庶务员；他可以当面将庶务员痛骂一顿，甚至殴击几下……但是如果他是比较“稳健”，即是一个能够了解社会的人，他决不肯这样“任情发作”，以致引起许多可以避免的流弊或一些不必要的不良印象。他便将他的情感，暂时制裁着，克服着，等到上台的时候，完全发泄，在《哈姆雷特》的表演里去。而这一晚的表演，是这样热烈，这样“真实”，这样有力，能够使得看客们没有一个不倾佩他，没有一个不称赞他，没有一个不爱重他；这晚的表演，竟许成为他的自从演戏以来空前优秀的表演了！这是一个人把情绪发泄在本身事件上的效果。所以往往许多容易有热烈情绪而同时又有能力克制自己管理自己的人（即所谓有血性而明白事理的人），遇到困难，反而促进他们的成功。而且，普通的讲起来，他们这些人的成就，也比那些虽有更高的知识与才能，而因情绪不浓厚，以致缺乏毅力的人的成就，为高为多了。

借题发挥等等

把情绪发挥在另外一个对象上，在人生中这是很普遍的。只须看那挨过打的小孩，就可知道了。两脚乱叉踢，口里叫喊，捞到东西就扔，以唾沫吐人，在地上打滚，不肯吃饭，自己抓破自己的脸；一切动作，都是碰上就干，根本不相连贯，并无利益的。所谓“歇斯的里亚”的女子，就是这样的：当她发觉了丈夫待她不好而发脾气的时候，举动便和那挨了打的小孩竟差不多。此外，还有一种发泄情绪的方法，即俗所谓“借题发挥”、“寻出气洞”之类。例如一个做丈夫的，受了上司的冤枉气，回家便和他的老婆寻事噪闹来出气；妻子受了丈夫的冤枉气，便借事打骂自己的小孩来出气；小孩寻不到别人做出气洞，便把手里的书撕破来出气！又如《醒世姻缘》四十一回“陈哥思妓哭亡师”一节，狄希陈所恋的妓女，被有钱的人娶去做妾了，他一肚子的委屈，无可发泄。恰巧他的业师死了，他跑到业师家里去吊唁，就在业师灵前，号啕痛哭一场。旁人以为他是哀哭死者，实在他是哭他的失去了的相好。这个虽比“歇斯的里亚”略胜一筹，然而他的增厚集中的“能力”，也是浪费掉，于事无补的。

没有刻板的情绪发泄法

情绪的发泄，至少就有上述的三大格式，互相牵制而取消的，移转对象而浪费的，与集中“能力”在本身事件上加紧工作的。而详细的具体的动作，更变化至不可胜数。**人生决不能有刻板的情绪发泄法，说是某一动作永远是和某一情绪相关联，或某一情绪必须永远使用某一动作去表现**。那仿效人生的表情，不能和那公式化、简单化的表情方法相提并论。所以在中国旧时的歌剧里，不妨老是以捽须为惧，挥袖为怒；但如果在仿效人生的戏剧里，一个人发怒，总是捏起拳头摇晃，悲哀总是捧着脸面哭泣，就要被人感觉得是做假而厌倦了（从前文明戏的表演，是不是有这种趋势）！表情的复杂变化，固然加难了演员的工作。但如果他能了解某一种情绪发生的微妙的来源，了解某一个自然人处在某一个社会环境里，他的情绪进展时的曲折途径，了解那发泄情绪时可以有的种种花式，而能准确地、有条理层次地仿效，所谓“交代清楚，充分发挥”，他的表演，是何等的生动完备与深刻呢！

四

社会变更了人的自然反应

处在现代的社会里，喜怒尽形于色，是有危险的。所以一个人在受到刺激之后，很少允许他的本能的自然的反应，充分地发展出来。**一个人愈是和别人相处得久，愈是熟于人情世故，他的发泄情绪的方式便愈不直接，愈多掩藏，愈加变化得复杂了**。他的动作，可说是属于“社会人”的多，而属于自然人的反而少了。试以恋爱情绪为例，一个野蛮人（自然人）在性欲冲动的时候，他便很直接地把对方按倒在地上，以求发泄；如果对方倔强的话，他便不客气地用武力征服她。但在现代的社会里，这样是行不通的。他得把那性欲冲动时的口角流涎，虎视耽耽等的自然动作都掩藏起来，而得故意做出温存；如果他不能不看她，当着大众的面前，也只敢偷偷的看一眼；即使偶然走到旁人看不见的地方。如公园的一角或黑暗的电影院里，他也不敢有像“按倒”这类的粗暴动作，而只敢把她的手臂抚摩或手掌握得紧紧的；他当然仍得征服她（说句笑话，恋爱其实是两性间的相互征服），但他决不敢使用武力，只可巧妙地或愚蠢地炫耀他的胜人的体力、胜人的智力、胜人的经济能力与其他的能力而已。再以畏惧为例，一个自然人斗不过人家的时候，当然是要转身逃走。但在火线上做军士的，知道不但逃走会受严厉的惩罚，而且显露畏惧即要受旁人的耻笑与不齿，所以他的畏惧情绪的发泄，不是退缩，不是发抖，而是故意地说大话，故意地装出凶狠暴戾，故意地去冒险；甚至畏惧得不可忍耐时索性向敌人冲锋，以求“速了”；更有连这一点勇气都没有而拔枪自杀的。在这里，演员所须仿效的，不是一个人有情绪时的自然反应，而几乎完全是他受了社会（他自己的教育和生活习惯等也在内）的制裁所造成的替代反应；即不是自然人的情绪发泄，而是社会人的情绪掩藏了！但是，因为人生是这样的，表演便不得不如此。必须如此，表演才有真实性。而且同时因为社会的引诱和禁止的力量能把人的发泄情绪的方式变更成许多花样，所以演员的表情，可以有无穷变化，而表演一个特别人物，也可以由得他作相当的创造，这正是表演最有趣味的地方。

抑制与替代

社会的制裁力量，何以就能把人的自然的发泄情绪的方法，改变了的呢？这也无非人们为了要自卫罢了！因为直接的发泄，可以使得他毁灭，或更加受苦，更加不利的；于是他就兜圈子，避免正面攻击而去抄后路了。这也是生理上的“防御机能”的一种。譬如一个人被人侮辱而发怒了，他何尝不要动手就打；但因为从他很久的处世的阅历，知道万一打不过他，自己会受伤，而打伤了他，自己或须入狱，于是或则隐忍住不计较，或则以言语、以瞪目来替代了。**人的社会的动作，主要的就是这两样：有危险就自己抑制；而抑制了自己又感到难受的话，便去寻替代的发泄方法。**

社会动作的学习

人的情感发泄，完全听其自然的非常之少；差不多都是经由社会的力量变更了的。这些社会的动作，演员到那里去学习呢？这当然不是一件容易的事。所谓一个演员平日的修养（对于人生随处随时的留心，亲自去经历，有计划的调查，别人作品的研究，读书，思考等等），都是使得他多晓得一点人的社会动作的。其实社会动作的本质，即它的肌筋收缩与放松的机械作用，和自然动作是一样的。换句话说，社会动作，就是自然动作，不过是自然动作应用在别一个刺激上去的就是了。所以演员的学习社会动作，应当分为两方面：一是知识的，要下一番苦功，去了解社会，了解在这个社会中各色人物的生活情形；二是动作的，把一个人身体所能有的自然动作练习得更加纯熟，更加灵敏，在需用的时候，可以毫不费力的“取出就是”。

自然动作的练习

那社会动作是被一个人的生活阅历所决定的，世上既不会有两个人的生活阅历可以完全相同，便不会有两个人的社会动作可以完全相同。所以演员在这一方面的学习，是比较繁难的，把一个平常人的社会动作研究得充分，须要长期的努力的。幸而那自然的动作是被生理构造所决定的，同时大多数人的生理构造又是差不多相同的，所以一个人的和别个人的，或是众人的和我自己的自然动作，都不会有很大的差异的。我们研习了任何几个人的自然动作，我们就学会全体人的自然动作了。甚而至于一个演员，如果他的身体不曾因为个人的生活习惯而发生了毛病或是变态的话，他很可以“不必外求”而即研究他自己的身体，并且不妨信任他自己身体的反应的！人的自然动作为数不多，但因为这是一切动作的根本，所以也就是一切练习的根本。演员在动作方面，所能训练他自己的，就是这些自然的动作。他必须用心的练习，不断的温理，以求他表演时的一切动作，都是圆熟与准确的。

第三章　动作的表情

自然动作的普遍性——观众也和剧中人一样受刺激——面部的表情——眼睛的表情——眉毛与眼皮——口唇与下颚——身体的姿势——四肢的重要——脚的表情与“基盘”——“基盘”与体重——臂与肘——相对的动作——手的三部——手指亦分三部——手指的伸开与握拢——说话时的手的动作——做表情时演员是否应有真情绪——没有真情绪，动作不完备——情绪太真，会妨碍表演——情绪应真至如何程度——表演电影与舞台剧不同之处——练习肌筋，可助表情——（附：身体练习十法）

一

自然动作的普遍性

一个人受了刺激之后，看那所受的刺激是快感的或是不快感的，身体的肌筋，会自然地展开或收缩。这个展开或收缩，可以传达到人体的任何部分，而造成无数的剧烈或微妙的动作。除非那受刺激的人，身体上有先天的缺陷，或因受了不良的生活影响而成为变态之外，这种动作的方式，是普遍的；换句话说，**凡是常态的自然人，受到了同样的刺激，所做的自然动作，根本是相同的**。这一个生理事实，使得表演可能。

观众也和剧中人一样受刺激

我们在看别人做动作即受刺激的时候，我们会发生两种生理上的作用：一是**我们能理解那动作与刺激的性质**，看见一个人做什么动作，便立刻晓得他是受到了什么刺激，并且还可猜得他是怀着什么心事，作着什么打算，因为我们本身自己也是这样反应环境的；二是**我们能不自知地和剧中人打成一片，凡是环境中所有的一切，可以刺激剧中人的，也都刺激我们**，我们竟是以一个人而轮演剧中人，而和剧中人一样，有了新的生活的阅历。第二种作用，从表现的观点来讲，比第一种尤为重要，因为这是更直接的！所以一个聪明的演员，他表面在做那剧本规定他做的动作，刺激其他剧中人，而实际是在不露痕迹地刺激一般的观众。这样，观众会感得他不是看人做戏，而是真的在阅历人生了。美国有一个演莎士比亚剧的演员，发音动作都好，而不知怎样，总是不能十分成功。有一次他演 *Macbeth* 的时候，有位女厨子，主人给了她一张票子，也起劲去看。看后，主人问她，戏怎么样？她回答说，没有什么道理，**我只看见那主角在台上看见了鬼而害怕，但是我一点都不害怕！**这是演员只刺激剧中人，而忘了刺激观众了。以下我们讲一些那观众看了就可以理解的动作。

二

面部的表情

一个人的面部，是最有显示的能力的。**人的所有的情绪，差不多没有一样不流露在面部上**。如愤怒、畏惧、饥饿（生理的与情欲的）、怜悯、忧虑、鄙夷、疑惑、快乐、失望、报复心等等，倘使没有了面部，就不容易看出。人有情绪时的反应动作，有些是仅仅限制于面部的。面部有了动作，其他部分，不必定有；但决没有手臂腿脚有了动作，而面部会没有动作的。**面部的动作，约略由于二十四双肌筋的交错的收缩与放松所造成的**。其中十八双，做出不快时的动作；只有六双，能做那有快感时的动作。所以面部所表示的情绪，**属于悲剧类的，动作比较繁多**，分别也格外精妙；**属于喜剧类的，种类比较贫乏**。而演员对着镜子做表情的时候，总觉得他的悲剧一定演得好。而那真正会得表演喜剧的人（如卓别林），倒是大多借用悲剧的动作的。

眼睛的表情

眼睛是受了刺激后第一个有反应的。**它是强制人家注意的。它是表示他自己注意的方向的**。能干的演员，无有不知善用他的眼神的。在他自己说话与动作的时候，固然他可以用他的眼神统制一切，即在他不说话不动作的时候，他的眼睛，也可以表出他的积极和关心的。一个人意志坚定的，眼神也坚定；而一个人的眼睛无主宰地“浮动”着，此张彼视，没有固定的集中点的，这个人一定是很软弱的。人有动作，眼睛为最先动，一是眼，二是头，三是胸，四是足，五是臂，这是自然的次序；违反这个动作的次序，便显得是难看的。

身体练习一：眼珠的活动

甲、将眼珠在眼眶内旋转，先自左而右，再自右而左（练习时须头直身正）。共十次。

乙、想着左边有一样重要物事，眼睛移左视（头不动）；放松，眼睛回至中央间；想着右边有一样重要物事，眼睛移右视；放松。共十次。

眉毛与眼皮

眉毛的动作，由于两种肌筋的收缩，额上的肌筋使得眉毛抬起，额上显出纹路；眉心的肌筋使得两眉并拢，眉头皱紧。这样就造成眉毛的四个姿态：**抬起**，表示“不在乎”，“不关心”；**平常**，表示“注意”和“兴奋”；**压低**，表示“不快”；**压低或抬起再加皱紧**，表示“忧愁”，“悲伤”。即使面上其他部分没有动作，这些已经有很清楚的意义了。眼皮的动作，不过是张与闭合，但可以两眼**同闭**，或一眼**独闭**（演喜剧时常须单闭一眼的）；又可以**全闭**，或仅**半闭**。全闭也许是消极的——

放弃自己的主张；也许是积极的——用心考虑一件事。半闭而眼皮用力的，是凝神注视；无力而垂下的，是疲乏厌倦。眼皮常和眉毛合作，而可以有很复杂的变化。譬如眉毛压低而眼皮张开，是怒的最普通姿态；眉毛抬起而眼皮半闭，是傲慢与轻蔑的表示。**如果眉毛与眼皮全不动作，这个人的心思，便真不容易看出了。**

身体练习二：眼皮的活动

甲、睁大至露出眼白；

乙、睁开，在眼角用力，虽大而不露出眼白；

丙、闭一只左眼，再闭一只右眼。共十遍。

三

口唇与下颚

口的用处最多了，透气，吃饭，说话，接吻，哭，笑；所以口的肌筋最为灵活；口的动作，最为复杂。而且在面部上，**口的动作，比较任何部分，来得易见，来得宽大；口竟是可以决定面部的表情的。**口角与嘴唇，两者合作了，可以有种种的变化。口角向下的，表示消极的态度，这时候如果嘴唇是紧闭的，我们看出是“嫌恶”，“不快”，“不满”；嘴唇微开的，我们看出是“悲哀”，“痛苦”；嘴唇大张的，我们看出是“畏惧”，“恐怖”（当然在这种时候，面孔别部也得有动作）。口角平而嘴唇闭紧的，是“平常的注意”，“意志坚定”；口角平而嘴唇微开的，是“十分注意”，“期望”，“倾听”；口角平而嘴唇大张的，是“诧异”，“惊愕”，“畏敬”；而一个人老是这样把嘴唇张开着的，这个人必然是呆傻，呆戆，愚蠢，这种人吞吐迟慢，话都说不上来的。口角向上，总是表示“高兴”，嘴唇并紧的，是微露笑意，微开是微笑，大张是大笑了。把上唇撅起当中一部分，表示极端的“鄙弃”，“侮蔑”；而两唇同时努出，是“愠怒”的努唇。下颚不常用的，一动即暗示兽性：伸出是“粗暴”，“卑鄙”，“狠毒”；缩进是“贪欲”或“胆小无能”。

身体练习三：哭与笑

甲、口角向下，张口；深呼吸；吹气；哭。

乙、口角向上，张口；深呼吸；吹气；笑。

（注意，不深呼吸，是决计哭笑不出的。）

丙、口角向下，张口，深呼吸，吹气；作苦笑。共做十遍。

四

身体的姿势

身体的动作，颇不容易给人看出，它的表情，只有简单的几项。可是因为它是臂手腿脚等的动作的根据，所以身体摆放的姿势，不论是立时、坐时、行时，都是非常重要的。平常时**身体应当是正直的，胸脯挺出，两肩垂平，但全部仍在不用力的状态中**。许多人以为两肩须扳后（像军队中正立时的情形），这是错误的；两肩扳后，胸脯的肌筋，必然拉紧，腹部呼吸（即深呼吸），便很不方便了。胸脯如果挺出而不拉紧，不但姿势美观，于发音方面，也很有帮助的。身体本身的动作，最显然是转向与转离，转向是“喜悦”，转离是“不悦”的表示。

身体练习四：身体的灵活——身体重量的搬移

甲、将身体的重量，全放在左足的脚盘（ball of the foot）上，将那只不负体重的右足走前小半步，将体重移放在右足的脚盘上；如此轮流移放身重。共十次。

乙、将身体的重量，全放在左足的脚盘上，用左足跳跃；每跳跃一次，将那不负体重的右足，移动一次，或前，或后，或旁边。十次之后，换足再练习。

身体练习五：身体的灵活——肌筋的放松

甲、将身体的重量，全放在一只足上，精神奋发的站立着；从头颈里抽去气力，从胸腰里抽去气力，再从腿膝里抽去气力，让身体摊跌在地上。连作三次，换边再练习。

五

四肢的重要

把一个人的四肢割去，他就不能自己生活了，所以四肢的动作，于他的生活最有关系。人类的所以异于兽类，就是人类有一双五指灵活的手，而种种的机械器具，无非是手的伸展。一个精神奋发、有生命力、情绪强盛的人，比较一个生活在理智里的人，四肢的动作，要多出许多。

脚的表情与基盘

脚的“表示人的思想”，第一是在**基盘**（base）的宽狭。愈是理智高强，愈是自己能管束自己的人，他的基盘，必是愈狭（身体的重量，分配在很小的面积上）。小孩，饮醉的人，有疾病的人，精神上受到重大打击、情绪不佳的人，不论立行坐卧，他的四肢拍开摊开，基盘占据的面积，都是比较大的。理智不活跃的人，用力多而用脑少的人，基盘的面积也是比较大的。反过来，一个人是聪明机警的，聚精会神的，基盘自然狭小；他立在一只足上，或两足前部的脚盘上。

基盘与体重

基盘的宽狭，与体重的分配，错综地变化着，有种种不同的意义。除了站在脚尖上这件事，非经学习过“足趾舞”的人不会；平常的时候，只有那装腔作势的女人，故意要显出她的“优雅”，偶一用之而用得并不见好之外，在人生里很少看见的。其余常见的为：

（一）狭	体重在前足：	体重在后足：
	（甲）脚盘上，聚精会神。	（甲）脚盘上，抗议不服。
	（乙）脚跟上，焦虑担心。	（乙）脚跟上，疲乏厌倦。

续表

<table>
<tr><td rowspan="5">（二）稍宽</td><td>体重在前足：</td><td>体重在后足：</td></tr>
<tr><td>脚心上，活泼高兴。</td><td>脚心上，胸有成竹。</td></tr>
<tr><td colspan="2">体重在两足（并拢的）：</td></tr>
<tr><td colspan="2">（甲）脚盘上，不放心，未决定（等待别人）。</td></tr>
<tr><td colspan="2">（乙）脚跟上，恭敬服从。</td></tr>
<tr><td rowspan="2">（三）更宽</td><td colspan="2">体重在两足，稍分开：</td></tr>
<tr><td colspan="2">脚心上，随便。</td></tr>
<tr><td rowspan="3">（四）甚宽</td><td colspan="2">体重在两足，分得很开：</td></tr>
<tr><td colspan="2">（甲）脚心上，粗鲁，不在乎，不恭敬。</td></tr>
<tr><td colspan="2">（乙）时而脚盘，时而脚跟，一个失去了“管束自己的能力的人”。</td></tr>
</table>

身体练习六：腿脚的灵活

甲、用一足立在椅子或台阶的边上（重量都在这只足上），把另一足向前慢慢举起——（先在大腿里用力，再在小腿里用力，再在脚里用力）；现在把气力从腿里抽去，让那只抬起的腿，“掉”下去，在身旁自然的摆动。做十遍，换脚再做。

乙、立同前，慢慢举起那只不负体重的腿；只在大腿里用力，别的部分都不用力，让那只无力的脚，挂垂在下；慢慢的把腿放同原处；换脚再做。做十遍。

五

臂与肘

手臂自然地分为三段，上臂，前臂与手。如果我们留心观察一下人生，我们可以看出，一切力的动作须用上臂；一切情的动作，须用下臂；而一切说明**意思**的动作，是用手与手指的。手臂垂下的时候，也有三种方式。平常时手臂垂直，肩里不用气力；转肘向外，表示一个人不肯让人；向里（不是向后，向后亦是向外的一种）表示胆小怕事，或自己压抑自己。手臂有动作的时候，如果是**展开**的，先动上臂，次动前臂，再次腕与掌，最次手指；如果是**收敛**的，先手指，次腕与掌，次前臂，次上臂。展开像一株花树的生长，从干到枝到叶；收敛像一株花树的萎枯，从叶到枝到干。违反了这个程序，便显得是不自然的。

相对的动作

还有所谓**动作的相对律**（law of opposition）。头是与手相对的，前臂是与胸相对的，上臂是与身体相对的。

又左臂与右腿相对的，右臂与左腿相对的。所以一个人在动作的时候，如果头动，手亦必动；胸动，前臂亦必动；身动，上臂亦必动。而且头向左动，必然是右手动；头向右动，必然是左手动。又如左腿动，右臂必动；右腿动，左臂必动。**这些都是使得身体重量摆匀摆稳的必然的动作**；除了做一件特别的事（如被人用强力抱住了，两手抗拒，头别转之类），总是如此的，演员做表情的时候，不可忘了这个动作的相对律。

身体练习七：肩与头的灵活

甲、手垂下，同时将两肩伸前，抬起，退后，落下；又退后，抬起，伸前，落下；又两肩一前一后，一上一下的磨转；又，反一个方向磨转。各十遍。

乙、将颈里气力抽去，使头无力慢慢地向前垂下（要自己觉得头有重量），慢慢的把它举过右肩，再抽去气力，听其向后仰倒；再举过左肩，向前垂下，再反一个方向练习。各十遍。

丙、将两臂伸直，甩大圈子，先向前，再向后。各十遍。

六

手的三部

一只手可分为三部分，手掌，手背，手边。也和手臂的可分为三部分一样，手掌是**力**的或**生命**的，手背是**情感**的，手边是**理智**的。一个女人拿手撑着腮，如果用手背，我们猜她是有什么情思；如果用手掌，我们便疑心她有牙痛了。一个人两臂伸前，前臂举起（与身体平行）动作虽是一样的，但手背的向外或向内，所表示的便是完全不同。一只手的手指，也可分为三部分的。

手指亦分三部

大拇指是生命的，食指与小指是理智的，中指与无名指是情感的。一个人要指点一样东西，总是用食指的，偶而也用小指；只有粗俗的人，才用他的大拇指去指点的。用食指微搔下唇，是思虑；用小指微搔下唇，也是思虑，但这是女性化了。中指与无名指，除非情感极热烈的时候，是不用的；为了美观，这两个指头，应并拢在一起。

身体练习八：手与臂的灵活

甲、手里臂里肩里全不用气力，把身体在脚踝上摇转，使得两只手臂，像两贯铜钱一样，随着身体摇转。做十次。

乙、举手，指前——从垂下的手臂朝前指点，须做九个动作——即（一）臂朝里转，（二）手指弯入，（三）腕向内微弯，（四）前臂向内屈，（五）上臂抬起，（六）腕向外转，将手举起，（七）臂向外弯，（八）手停在预定的地位，（九）掌用力，食指伸直；收回的动作，刚和此相反。做五遍，换手再做。

手指的伸开与握拢

手指伸开，是表示有生命有毅力的；手指握拢，是表示内心有痛苦有为难的。从握紧的拳头到伸得最直而五指分开的手掌，中间种种不同的姿态，可以表示种种不同的情绪。如**精神上的奋斗与痛苦**，手握拳（拇指必须在外面）；如**委决不下**，为难地考虑一件事，以手捶桌，或以拇指摸擦其他四指（半握拳式）；**痛苦**，手指皆弯，手掌向内；**疲乏**，手指无力的弯曲，拇指亦屈向内；**镇静**，手指微弯；**温柔**，手指微弯而开（俗所谓“兰花了”指头），手掌向着对象；**愤怒**，指尖弯曲而手指张开；**惊讶**，手掌摊开，手指伸直；**恐怖**，手掌凸出，手指伸得甚直。

身体练习九：腕的灵活

甲、手里、指里、前臂里都不用力，集中气力在上臂，将臂摇动，使得前臂与手，像一串铜钱似的，自然摆动；先快后慢。做三十遍。

乙、手里、指里不用力，集中气力在前臂，将前臂摇动，使得那摊开的手像一球葡萄似的，从腕以下，自然摆动。做三十遍。

说话时候的手的动作

手是比较理智的，所以人们说话的时候，往往用手做些姿势，帮助说明他的意思。如手掌摊开，手竖直，手边自上向下而动，是**解释**一样物事时用的；如手掌向上托，是**拥护**一样物事时用的；如手掌向下按，是**保护**一样物事时用的；如手掌向外竖起，是**拒绝**一样物事时用的；如手指张开手掌向对象推去，是**攻击**一样物事时用的；如手指张开而微弯，向着对象似乎抚摩着，是爱重一样物事时做的。

身体练习十：手指的灵活

甲、集中气力在掌心，将手摇动，使手指随着摇动而或伸或屈。练习两分钟。

乙、集中气力在掌心，将五指伸开；再在指间用气，使五指分得愈宽愈好；再从指里抽去气力，听其自然弯曲。每只手做十遍。

附白：身体练习十法，均从美国 Samueal Silas Curry 博士底“发音术”讲义里，以及博士的弟子 Liorence Lutz 所著《身体动作的技巧》一书里摘出。

七

演员是否须有真情绪

演员在做这些表情的时候，**是不是应当真有情绪呢**？这个问题，自从十九世纪末年 William Archer 在他的 *Masks and Faces* 一书里讨论以来，真是“众说纷纭，莫衷一是”。**一派是主张演员不应当有真情感的**。他们说表演是艺术，而艺术是理智的事，用不着依仗情感。演员在台上情感冲动，反而会偾事的。这是法国派。**还有一派，又说**，表演的所以能感动人，就是因为演员底诚恳，所谓“假戏真做”。如果他根本对于戏中的事情，完全处于第三者地位，一点没有真的情感，他怎么还能使得观众认为是真的呢！所以**演员非有真情绪不可**。

没有真情绪，动作不完备

其实，这两种主张都是错误的！为什么呢？表情的动作，不是凭空而来的，是人们受了某种刺激所谓有了某种情绪时的反应。当然的，如果要这个反应真实而完备，最好是有真实刺激的存在。倘如这个在台上做不到，演员也得训练他自己利用别人的语言，或自己的语言来替代真实，第一使他自己感觉到这项刺激的存在，第二使他自己对于这个感觉到的刺激，做适当的反应动作。现在说，演员无须有真情绪，就是说，演员无须乎感觉到这项刺激了。试问他的表情动作是从那里来的呢？有什么根据呢？为什么晓得他们是对的呢？退一步说，即使做演员的，有很高的理智，晓得剧本演到此处，某个剧中人是在喜悦着或愤怒着，并且晓得人在喜悦或愤怒时候，做些什么动作，而竟然仿效了出来。这个也至多使得观众理智地了解罢了，那里会使得观众同受刺激而真有感动呢！况且，**一个人发泄情绪时有许多动作，不是自己做得来主的；他非能真的感得刺激的存在，是无从仿效的。但表演得真正好的，全在这些不能直接做主指挥的部分上面**。所以肌筋训练，固然是要的，理智的运用肌筋，也是要的，但是真的情绪，更是要的。

情绪太真会妨碍表演

换一方面说，演员如果非有真情绪不能演戏，那么，演戏真不能成其为艺术了。**第一，无论演员的生活如何丰富，仍有许多情绪的阅历，他是不会有的**。譬如说，“做贼心虚”的情绪，又譬如说，“阴谋杀人”的情绪。倘如一个演员没有做过贼，没有杀过人，他的做贼、杀人的情绪，那里会真呢！难道演员为了要演戏的原故，真的去做一次贼，杀一次人么！恐怕他做了贼、杀了人之后，戏也演不成了。这可见得“非有真情绪不可”的主张的不通了。**第二，演员有了真情绪，反而要妨碍了表演的**。如果剧本须要他做的，幸而只是讲恋爱、接吻等类的事，他的真情绪来了，于是抱了女角吻之不已，至多那对方没有真情绪的女角，觉得侮辱，到后台向他抗议而已；但如果剧本须要他做的，不幸是“划刃于仇人之胸”，他的真情绪又来了，试问那个被他划刃的人怎么办呢？划了一个之后，第二次这出戏还演不演呢！这又可见得“非有真情绪不可”的主张的不通了！

情绪应真至如何程度

这样说来，**没有真情感，戏演不好；有了真情感，戏更演不好！到底应当怎么样呢**？我们这里有一个简单的回答，共分三层：（一）**练习排演的时候，情感愈真愈好！**这时候要演员充分地发生反应动作，尤其是那属于不能自主的一部分，使得演员自己和导演从他的有情绪时的反应中，选出几个有显示性的、有力的、美观的动作。这时候，纵使他的情绪十分紧张，而至忘了剧本规定的词句动作，或是失去了控制自己的能力（如哭得太厉害时，就有这种情形），或真要“划刃于仇人之胸”的话，也还不要紧——旁人可以提醒他，制裁他（根本不像台上，这时无须拿真刀的）。这时候，不但他应当充分做出他平常训练自己所做的一切横纹肌的动作，并且是他刺激他的光滑肌筋好机会！如果遇到他阅历中没有的情绪，便得设法寻代，譬如以“做错了事的心虚”，去代“做贼心虚”，以“坚决地要全部扑杀帐中蚊子”，去代“阴谋杀人”之类。[1]（二）**在台上实际表演的时候，不可有全部的真情感**——注意“全部”这两字——他是**半真半假的**。一方面他必须有真情绪；但另一方面，他的情绪，必须受他理智的制裁（他的动作，必须受他理智的指挥）。否则，情绪或许太热烈，竟至使他失去一部分动作的能力；或者情绪太奔放，竟至使他做出那不应当真做的事情了。（三）但是**情绪在可能的范围内，是愈真愈好**。凡是伟大的，十分动人的，使人看得要跳起来的表演，那演员的情绪，是十分真的——**真到如此程度，差不多在“能管束”和“不**

[1] 本章第七节所述是美国名导演 David Belasco 的见解，详说见一九二一年《星期六晚报》刊载他所写的关于戏剧诸论文中；这个道理，凡是导演过小孩的电影导演，没有不知道的。

能管束”的边界上了——稍为走过去一步，就要失去自主的能力了。

表演电影与舞台剧不同之处

附带的还可声明一句，就是演电影，因为不须像舞台上的继续工作而可分段拍摄的原故，表演的环境，与其说是像登台，不如说是像排演。情绪可发泄得更足一些。

八

练习肌筋动作可以帮助表演

因为表演中有热烈情绪的时候，身体差不多要失去自主能力的，所以那一部平常可以做得来主的肌筋动作，必须练习得十分纯熟，**稍予指挥，即能服从命令**。尤其是要能够**放松**，能够**抽去气力**。放松是一个人在冲动时唯一的制裁情绪的方法。

第四章　声音

所谓平常的音调——腹部呼吸——慢慢的吹——当心的用——字音的拼成——韵母与人类的情绪——声音表现情感——声母与人的理智——声母发声部位说明——“平上去入”四声的分别——字音阴阳的分别——念字时常犯的毛病。

一

所谓平常的音调

演员的平常声调，乃是指他大部分时间在台上说话对答时所用的音调，还没有须要表示热烈情绪的。这种音调，应当是清楚，洪亮，而（最要紧的）听上去悦耳。有些人的声音，天生就是“甜”的，这实在是一件可欣喜的事，不过也很难得。有些人的喉咙，天生是难听的，粗暴，逼紧，沙嗄，嗡闷，单薄，或尖锐。这种人应得快些去寻医生和发音专家替他诊治改正；如果做不到的话，自然还是不去从事表演，可以少吃些苦头的。普通一般人的声音，大都在不好不坏、可好可坏之间。不小心的乱用，烟酒过度刺激等，当然可以糟蹋一个人的声音；而适当的训练，合理的使用，严格的卫生，也未始不能把声音弄成“可以听得过去”！演员在使用平常音调的时候，**喉咙里的肌筋，须是放松的；鼻腔，通气的；呼吸不费力的；下颚与嘴唇，灵活的**。如果有一处不是这样，便是发音机关起了拘束，声音要不自然了。

腹部呼吸

发音必须吹气，所以练习发音的人，第一应当注意他的呼吸。一个人平常时候的呼吸是腹部（diaphramatic）和胸部（costal）混合的。到了登台发音，须用多量空气，他的呼吸机关，当然得增加活动。这时候，他须切记着，**应使用肺的全部，而不可只扩张一部；应加大腹部呼吸，而不可多用胸部**。因为胸部里的肺，受了肋骨的限制，扩张不了许多的。如果硬要把空气灌进去，也只能装入肺的上端近肩处极小部分。不但所装空气，量积不大，不但两肩杠起，形状难看，而这里肌筋的过度工作，会得施展压力至喉头各器官，妨碍了空气的自由通过，减少了声音的效能，并使得说话的人容易感得喉里干燥与酸痛的。反之，腹部呼吸有许多好处：一，装入空气的容积，比较的大；二，呼吸比较不费力；三，呼气吹气的时候，容易做主，容易管束；四，阻塞喉头的可能性减少。所以一个做演员的人，应当刻意的练习腹部呼吸，即通常所谓深呼吸。

慢慢的吹

不过，演员也得留心，他的深呼吸，有时也会太过度的。我们固然要肺里的空气装得多，但如果空气胀得太紧的时候，肺里也像胃里吃得太饱的一样难过。而胸腹部的肌筋，为了呼气而收缩了的，这时更加迫切地要求恢复原状，便会一下子很迅速的把肺里的气，都呼出去了。这是于流利的、明朗的、匀称的发音，最为不相宜的！**发音的呼气，最重要的是不作浪费。演员须是把**

他肺里的气，很经济地一点一点吹出来，决不可一放就放出。如果肺里的气装得太多而胀得使演员自己不能做主管束，那发出的便会是几个带喘息、不清不楚、“放炮”式地时而甚响、时而又听不大见的声音。旁人对于他所说的话，当然听不清，而他自己却反是意外的吃力，甚而至于不多一刻便把喉咙弄成沙哑，因为大量的空气不断地在撞击与吹干喉里的黏膜，很容易使得它们疲倦的。演员在台上发音的时候，应当抽空就换气，但每次亦不必吸得太多，以致肺部难过；而呼气必须慢慢的吹出，需用多少吹出多少（要声音响些或走得远些，便多吹一点气），绝对不“放炮”。这样，既可不费气力，尤可持久，是最好的呼吸方法了。而演员在平时练习深呼吸的时候，就得练习慢慢的吹，并注意呼吸时胸膈膜的动作，务须做到放气可以完全由他自己做主。

当心的用

关于发音机关，有几个简单的保护方法，演员不可不知道：一，调门不要提得太高；二，不要太响，不要乱叫乱喊（如果觉得声音单薄，应当用唱歌的方法，练习低音；凡是声音“有味儿”的，都是低音发得有力的）；三，不要妄用气力（人在站立的时候，肺里容纳的空气最多，坐的时候次之，躺卧的时候最少，在躺卧的时候用大气力，是要损伤发音机关的）；四，不要过度的使得喉咙疲倦；五，不要全从口腔吸气（在可能的时候，应多使用鼻腔，因为干的空气经过鼻腔，即如获得相当的潮润，冷的空气经过鼻子即可获得相当温暖，其他灰屑及不洁的物质等等，都可被鼻子拦阻住，而不致达到喉头的）；六，不要不注意身体的健康（弱的、病的身体所发出的声音，决不会是不病弱的）。

二

字音的拼成

字音是由声母、韵母配合而成的。韵母是气流向外奔放，口腔形式改变，尚未成为障膈时所发的声音（在中国的语言中，共有十六个）；声母是气流向外奔放，多少受到阻障而发生的声音（在中国的语言中，共有二十七个）。这在第一章里已经讲过了。把事实简单化了来讲，韵母本身有音，声母本身是没有音的。声母必须与韵母配合在一起，才可以有音，否则它只是代表气流吹出时口部的各种器官如舌唇齿所摆放的地位，所做出的动作而已。字音发得清楚，须是肺里吹出一股气流，力道用得对；口腔改变，地位摆得对；同时舌唇齿的阻扼，动作做得对。而对于每个字，气流应当用多大力道去吹，口腔应当怎样的改变，舌唇齿等应当怎样的动作，都已由社会习惯决定，现在都记录在字典里，演员如果对某个字音有怀疑，应当查阅字典，如果还不了解，速去请教一位国语教师。

韵母与人类的情绪

韵母是肺部与声带合作而发出的声音，所须要口腔肌筋的动作最少了。有人说，韵母的各种音，是人类受了环境刺激最早发出的声音，表示惊讶、恐惧、愤怒等几个简单生活中可有的情绪的。人类的文化程度进步，而他的口腔的肌筋因为用不着再去像野兽似的用牙齿斗争而变得灵活了，才做出种种微妙的动作，阻扼那喉里发出来的音响而成为语言。韵母的音，久已存在那理智的语言之前，实在是情感的。这些话，是不是完全事实，不得而知。但就我们实际的经验而谈，声音（指简单的不是代表字义的声音）**确是可以表现情感的**。在表演的时候，如果声音是忠实地情感化了，即使所说的字句有一部听不出（甚至全部听不出，譬如听外国人表演），一样的可以刺激观众感动观众的。若干年前，波兰一个著名演悲剧的女演员到了英国，英国的仕女们请她吃饭，席间定要嬲她表演一段悲剧。她说，她从前演过的戏都忘记了，且剧本都不在手头。众人说："你随便用波兰语背诵一段好了。"后来她因却不过众人的情面，只得立起来慢慢说了一段。正是说得诚挚沉痛，在座的英国人虽都不懂波兰语，但都被感动，有的竟然流了泪来。独有她的丈夫，听了忍不住要笑；末了竟是奔至走廊上，放声大笑起来。众人都很诧异，不知道他笑些什么。他道："你们晓得我内人刚才念的是什么吗？是我们今天吃饭桌上放着的菜单啊！"这是欧美很流行的一个故事，教授表演术或辩论术的教师们，常用来说明，声音在表演情绪上比字句还要重要的。

声音表现情感

可是**声音的情感化，必须有抑扬顿挫**。在念剧词时候，**便不能不把某几个字音拉长**。而声母全靠说得干净爽脆，绝对不能拉长的。**所能拉长的，只有韵母**。中国唱昆曲的人也说：“度曲者于字头字尾，固应分晰清楚，然其最着力，而唱得饱满之处，却在**字腹**，使人动听之处，亦在**字腹**；盖字头惟露于一字出口之初，瞬息即过；字尾既出，则此字之音，立即完毕，不能再为延长……”[1]他所说的字腹，即是一个字有音的部分。我们演话剧的人，欲使得声音情感化，有一个很好的练习方法，即是**取那十六个本身有音的韵母，用各种情绪去念读它**；**使得到后来同一个ㄛㄩㄚ因为读法不同，真可以分出种种不同的情绪来**。**平时练习**，把情绪都寄托在韵母上；到后来念剧词的时候，只须临时装上声母，便都成为情感化的语言了。

声母与人的理智

　　声母的读出，须要口腔的肌筋做出复杂的动作的。而且效果至为微妙，稍微的差异，即传达了不同的意思，所以和韵母比起来，这是偏于理智的了。凡是一个

[1]《集成曲谱》全集卷一，《论度曲》。

人，声母说得准确的，即是那口齿清楚，吐字干脆爽利的，都可以使听者感觉得那说话人的伶俐、俏皮、精明、机警、理智高强。我们不都看到过《法门寺》中的小太监桂儿么！**在舞台上要表现一个理路清楚，有头脑，有理智的人，演员往往夸张地把字音中声母，咬吐得格外清楚**。至于声母的读得好，全在口腔的样式摆得合式，与唇舌齿等的动作的“得法”。中国从前研究字音的人，也讲究“**出口**”“**收音**”的正音法（如《韵学骊珠》和《集成曲谱》便讲：“东同”，舌居正中，收鼻音；“江阳”，将口广张，收鼻音；“支思”，齿微启，声穿牙而出，不收音；“干寒”，张喉阔唱，收抵颚音；“监咸”，音同“干寒”而收闭口等等）。也讲究**审五音**（喉舌齿牙唇，用力处不同），**准四呼**（音自喉出之初，平舌舒唇，曰开口；举舌对齿，声在舌腭之间，曰齐齿；敛唇而蓄之，声在颐辅之间，曰合口；蹙唇而成声，曰撮口，这是《集成曲谱》所讲的“开齐撮合”四种口法。而满口呼、收鼻、卷舌、闭口等，《钦定曲谱》里所说的还不在内）。又教**人辨别字的头腹尾**（字头，即现今国语中称为声母或辅音的；字腹，即韵母或称主音的；字尾，即韵尾，亦声母或数个声母组成的）。这些无非是说明，欲求字音清楚，须注意声母与声母发出时口腔的动作罢了。演员欲练习声母的咬吐，最好得请一位国语教师领导着。如欲看书自修，那商务印书馆出版方宾观、章寿栋合著的《国音新教本》是很有帮助的。尤其是其中的“声音发音各图”，它告诉你每个声母，口腔所应取的形式。兹将声母后音部位说明，列表如下，读者可参照练习：

声母发声部位说明表

	破障音		摩擦音		
	浊	清	浊	清	
双 唇	ㄅ……	……ㄆ	ㄇ……	……ㄈ	唇 齿
齿 舌 龈 尖	ㄉ……	……ㄊ	ㄗ……	……ㄘ ㄙ	齿 舌 龈 叶
软 舌 腭 根	ㄍ……	……ㄎ ㄏ	ㄐ……	……ㄑ ㄒ	硬 舌 腭 前
			ㄕ ㄔ…… ㄖ……	……ㄓ ……ㄌ	翘 舌
鼻 音	ㄇ ㄋ ㄌ ㄏ				

三

“四声”的分别

中国的字音，分做平上去入四声，而每声又分阴阳。这是最使人迷惑的地方！因为历来理论者所做的主张与解释，从来没有两个人相同的。近人高元作《国音学》，他说语音有三种变化：一是音节，即调门的高低（pitch），是关于声带的速率的；二是音势（stress），是关于音浪振幅的广狭的；三是音长（duration），是关于振动时间的久暂的。而四声之分，是由于这三者交错变化而成的。这个说法，能兼以前众说之是，是最为完备的了。但是我根据多年舞台上实验的结果，现在想在这里斗胆地做一个修正——即是“音节”一项，应当改为“抑扬”；不是调门的高低，而应为音调的向下或向上。如果我的说法是对的，四声的分别就是这样：

四声说明分别表

	音长	音势	抑扬
平	长	和平	平行（阳平微向上）
上	短	稍用力	直向上

续表

去	延长而有变化	再多用力	先向上，后向下，打一个圈子
入	一发即止，甚短	最用力，气势最急	向上，但立即收

这个表上虽列有入声，但因编订国音的时候，偏重北音，而北音是没有入声的。所以事实上演员念剧词，从来无须念出那南方所有的入声，所有入声字，都派归平上去三声里了（《集成曲谱》说，入声转平声，都为阳平而无阴平；入声转上声的，都为阴上，而无阳上；入声转去声的，都为阳去，而无阴去——这是唱昆曲的人所研究出来的）。譬如，“一直七日”，原来是入入入入，转成后为上平上去，不但容易读，而且好听了。又，平常念剧词的时候，应严格的遵守四声。只有在十分难念的时候，才可改变几个字，但这种改变也有一定的范围的，《集成曲谱·论度曲》第六章“论宾白读法”的第一节里说：“……如此依照四声分别高低，仅就上去字不叠之白言之；若‘岂有此理’一句，四字皆上声，苟一概揭高，殊不入耳；故其念法，**岂此**二字，宜改作去声，**有理**二字，则揭高念之。又如‘这鼓’二字，与‘掩这骂’三字，同一**这**字也，在**这鼓**则**这**去而**鼓**上，故**这**低而**鼓**高，以本字之声念之；

在‘掩这骂’，则这骂二字皆去声，故此这字须揭高，改作上声念之。综之两上或两去相连，必须改其上一字之声念之，下一字则照本字之声读之，方得高低相间，抑扬尽致。”这是可以供我们演话剧人的参考的。

阴阳的分别

至于阴阳的说法更加混乱了。有的说，声母浊的是阳，清的是阴，但是“曹操”两个字，“曹”是阳平，“操”是阴平，而两字的拼音同为ㄘㄠ，声母同为清的音，这又怎样说呢？有人说，韵母走鼻音的是阳，不收鼻音的是阴，但是“通同”两个字，“同”是阳平，“通”是阴平，拼音同为ㄊㄨㄥ，韵母同为穿鼻的ㄥ，这又怎样解说呢？况且，周德涛作《中原音韵》，只说：“阴阳字平声有之，上去俱无，上去各止一声。”但明末沈宠绥作《度曲须知》，已有阴去阳去之说。而清初沈乘麐作《韵学骊珠》，竟将平上去入四声全分阴阳了，他在该书“凡例”里说：“自古韵书皆不分阴阳，惟《中原韵》于平声则分之，于上去声则否；《中州韵》于平去二声皆分而上声仍混；兹则虽不列开，而于上声中注阴上阳上与阴阳通用三法。”这些分法，是根据什么理由呢？字音阴阳究竟是什么东西，难道我们可以“以意为之”么！我们表演话剧的人，虽不必从事于字音阴阳全部理论的探讨，但是至少应晓得某字是否分阴阳，如果分的话，在台上发音的时候，怎样可以把阴和阳分别出！我曾经不断地请教过那研究平剧和昆曲的人，请他们把他们所会念的阴阳字读给我听。我现在得到一个结论——在我自己表演的时候，便暂时把它使用着——就是，阴阳只是出口轻重的不同：**凡是声母须读得重的为阴，凡是韵母须读得重的为阳**；阴字先重后轻，阳字先轻后重（譬如“洪深”两字，“深”是阴字，而“洪”是阳字）。这和《度曲须知》里的“阴平字面必须直唱，若字端低出而转声唱高，便肖阳平字面”以及“若去声阳字，初出不嫌稍平，转腔乃始高唱”等说法，倒相符合的。

四

念字时常犯的毛病

有三个极容易犯的毛病，演员在念剧词时，不可不留心防范着的：一是发音时口不肯张开（女子们尤易犯这个毛病），以致气流不能自由出来，声音不能达远，而唇舌齿腭等，也不能充分动作；二是咬字不准，根本没有弄清楚某字应读某音；三是说话太快，以致每个字发音时口腔应做的样式，都没有做到家。

第五章　声音的表情

话句与声调——声音表情的正确方法——“顿歇”可以强制观众的注意——“短语化”是念剧词的根本——音调“高低”与意思的改变——声音的“抑扬”——“抑扬”的方向，久暂，与曲折——“高低”与“抑扬”的合作——吐字的“用劲”——念词的速度——快慢失当——太快太慢太单调——音色：声音的“情感化”——声音怎样能情感化——（附：实验例证十条）

一

话句与声调

关于声音的表情，普通有两种见解。一是把它看做一件有规律的事，好像文字的有文法一样。所以在这里他们定出了若干规律：句子是应当在什么地方断的；什么一类句子应当用“扬”和什么一类句子应当用“抑”的音调的；那几个字应当重读，那几个字应当顿的；某种情感须用某种“变音”的等等。他们似乎主张，理解人生，用不着是表演者的事，他只是一个“通事”或译员，把别人的意思转达过来，清楚就够了。还有一种见解，以为这件事不能这样机械。所谓声音的表情，必得表现说话人的全副心事；意思是一项，而他发表这项意思时背后的情感，又是一项，并且还是更加重要的一项！字面是理智的，仅能传达说话人的表面的意思；声音才是情感的，才能够传达人的真正的意思。常有一种人，口里答应“是”，其实心里是不愿的；也有一种人，“其辞若有憾焉，其实乃深喜之”。所以演员不应只在字面或话句上用功夫，尤得注意到说这话句时应当有的其他身体的表现，动作与声音。单是词句念得好，充其量能把浮面的意思，说得清楚罢了；是浅薄而不深刻的，是冷酷而不热烈的，是理智而非生命的。——我们当然是同意后一种的见解。

声音表情的正确方法

这并不是说“念词”是可以看做不重要的，或是发音的属于所谓规律方面的事情是可以不学习的。演员仍得注意“断句”、“重读”、“抑扬”、“顿挫”、“变音”等类的事。不过最要紧的，是他能用他的动作（见第二、第三章，兹不赘）和他的声音，来帮助他所念的话句，以表现剧中人的全副心事。这个须得他把“念词”看做是一种自然的流露；**须得他十分忠实于他所了解的剧中人**；须得他不但把那剧词所代表的剧中人的意思告诉观众，并且还得告诉观众那剧中人发生这种意思的经过。这样的“念词”，才可算是表演了。须知剧中人的说话，乃是他有了意思的结果。至于他说这句话的方式，或急，或慢，或一字一顿，或讷讷不能出口，或夹着噫吁嗟叹，或沉着，或轻浮，或冷淡，或发极，或提起喉咙，或低声下气等等，都是间接地说剧中人发生某种意思时，或高兴，或不快，或自愿，或勉强，或不在意，或感着困难，或无可奈何种种不同的经过，而可以与他的最后的公开表示即他的话句互相参证的。这些如果机械地做作了，缺乏真实性且不必说；而有时是十分恶劣，使人毛骨悚然的。声音的表现，一切均须“自内而发”。演员说这句话的时候，真得在阅历着那意思发生的经过，而同时理智地将他所熟习的断句、重读、抑扬、顿挫种种手段，把这经过，发挥得更为清楚。这才是声音表现的正确方法。声音比动作更可恶，是丝毫弄不来假的。声音永远是表现演员自己的思想和情绪的，欲求声音的表现能够真实而动人，演员须能将剧中人的思想与情绪，完全弄成自己的思想与情绪！凡是演员不能这样设身处地的，他的发音，就永远不会成功。

二

“顿歇”可以强制观众的注意

最可以表示一个人的心事的，是他说话时的顿歇。顿歇和“发慌”不同，发慌是因为忘记了事实或没有了主意之后的不能自主的中断，顿歇乃是一个人思想进展时努力的表现。为要对于事物理解得更为明白，权衡得更为公平，认识得更为清楚，那说话人自然而然地到这些重要的有关紧要的所在要作片刻的停留顿歇，以便自

己将自己的观念主张情绪弄得格外清楚与稳固。说话时有顿歇，就是表明那说话的人，是在一路想着一路说话。而那顿歇的效果，是可以使得听话的人跟着说话的人一同想。因为一个人所说的话里每一个意思，都得是临时想出来的（除非是引用现成的话或背书），而**说话时顿歇的时候，正是他思想最努力的时候**。所以表演而能善用顿歇，不但能把剧词的意义，发挥得完全明白，并且能够强制观众精神的专注！顿歇，有时间久暂的不同，又有**顿逗**（slight pause）与**顿断**（full pause）的不同，又有前用后用与前后双用的不同。如果我们仔细留意一般人说话时的顿歇，我们就能听出，对于略为重要的事物，只在字前稍作顿逗（即虽顿而口里气流不断）；对于比较重要些的，便在字前顿断；更重要的，字前字后都顿断；对于换一个题目或意思，不论是忽然的换（譬如话只说得半句，另又去说别样事情），或是随便的换（譬如一段话中嵌入几句与主要思想无关，而是附带解释某几项细节的），都得用一个长顿来作过渡的。一个人用自然态度说话而中间不作顿歇的，我们还没有听到过。

短语化是念剧词的根本

“短语化”（phrasing）的性质与用途，和顿歇是一样的。顿歇是在一个重要的字之前之后，暂时的停住不念，以强制听者的注意；短语化是**将一个整句在中间停歇若干次，分成若干短语，以显出这句中各段意思的相互关系，轻重比较**。一个没有受过训练的演员，他只会死背剧本，而不会活读剧词的。他只敢在剧词中原来有标点的地方停断，而不敢在句子中间停断的。换句话说，他是用修辞法说话，而不是学那实际人生说话的。人生很少有人把一整句的意思，预先想好了，又按照文法预先组织好了，再一口气说出来。说完一句，再想一句——除非是一个不会说外国语的人才是笨到如此！一个人说话的自然方式，是一路说着一路想着的。他先说出一个短句，表示一小部分的意思；再说一短句，加上一小部分意思；再说一短句，这样积累上去，以至整个的意思达出，而他的这一句话才算完成。如果我们要把剧词念得像人生的说话，我们必得用这个积累法，把剧词“化整为零”，把剧词“短语化”的。现在有许多演员，不遵守剧本时，台词说得很好；一教他遵守剧本，他就脱不了像背书的。归根结底，不过一个原因，就是他太以忠实于剧本上的一点一撇，而太不忠实于他所扮演的剧中人的思想了。整句剧词的搬出来，世上那有这样说话的方式，当然听上去是十分不自然的了，而且怎么可以希望观众们听得懂呢！

实验例证一：

把下列的剧词，按照标点读一遍：

长工乙——譬如今天罢，白天你做了一整天的活；晚上，看你跑得浑身是汗，路都走不动。别人为什么不去跑！你何必把自己摆弄得这么苦呢！

李全生——别人也干着别人的正经。

现在再把它短语化了读一遍（/ 代表“顿逗”，// 代表“顿断”，/// 代表“长顿”）：

长工乙——譬如 / 今天罢 // 白天 // 你做

了 / 一整天的活 // 晚上 // 看你跑得 / 浑身是汗 // 路 / 都走不动 /// 别人 // 为什么不去跑 // 你 // 何必把自己 / 摆弄得这么苦呢 ///

李全生——别人 // 也干着 // 别人的正经 ///

这样，是不是意义比较清楚些？

三

音调高低与意思的改变

一句话里各部分的意思，决不会是轻重一样相同的。有的重要，有的次要，有的更次要。人们说话从重要的转到次要的，或从次要的转到重要的意思的时候，身体中会不知不觉地起变化，声带亦因之而收紧与放松，而这个遂影响到声音调门的高低（pitch）了。“**声音的高低随着意思的改变而跳跃**”，**这是人生极自然的一件事**。一个人说话，意思的轻重有改变，调门的高低必然有改变，差不多无须乎有意识地去用力的。

音调高低与情绪的紧张成为比例

细听平常一个人说话，一句中总有几个单字或短语比其余的高些或低些，就是他自然地要把几个字着重（to emphasize）的原故。而且**高**或**低**是没有分别的，有高低即已充分地表示意思的轻重有了改变了。这是普通说话的情形。可是人在有情绪的时候，便与这个不同了。除了一句中各部自仍有高低之外，整段话的调门，有高低，而这整段话的高低是有意义的，是和说话人的消极或积极，能自制裁或不能自制裁，成为比例的（积极，不能自制裁的，声音高；消极，能自制裁的，声音低）。而且，情感到了十分剧烈的程度，声音也变成甚高甚低，也会走极端的。

实验例证二：

把字下加圈的一句念高，是不是下面一句，自然会念低；又把字下加圈的一句念低，是不是下面一句，自然会念高：

珠凤——爹爹，你只生了我一个女儿，

只有我这样一个宝货，何必这样忙着东也献宝西也献宝呢！

陈全福——胡说，我献什么宝！我晓得你自己看中李全生，一心一意的想嫁他。

实验例证三：

把字下加圈的一句念低，试听是否还像人说的话：

（这时候农民又陆陆续续来了不少，看着桂升羞辱王老爷。）

桂升——你做的是什么官！你还是做中华民国的官呢！还是做周乡绅家的官！（王老爷闭口无言）

声音的抑扬

声音的**抑扬**（inflection）和调门的变高变低，虽甚相似而其实不同。高低是指字与短语或短语与短语之间忽然的变高或变低，**抑扬是指整个一句或一短语的音调的逐渐向上或向下**。高低是用以说明意思或情绪的改变的，抑扬是说明意思或情绪的性质的。声音的抑扬，共有六个方式：

（一）向上急性的——如和人争论。“我说三万块钱，不是三千块钱。”“三”字一顿，以后一步跳高。

（二）向下急性的——如失望灰心。“这还不是全完了么！”“是”字一顿，以后一落甚低。

（三）向上慢性的——如：“请问怎么样可以走到包厢里去？”

（四）向下慢性的——如：“两个都不是好东西。”

（五）先向上后向下的——如：“吓，这还算待错了你么？”

（六）先向下后向上的——如：“杀了我也是不还你钱！”

声音的抑扬是能说明那说话人的态度的，他对于事物，对于他自己的思想，对于那听他说话的人，是善意的或是恶意的，是信任的或是怀疑的，是赞同的或是否定的，从他说话声音的抑扬里，都可以听出来。字面固然是意思的符号，但字面尽管可以作假。心里明明以为“非”的，口里不妨说“是”；但声音的抑扬一出，“是”

与“非”的意思，便被完全决定，说话人再也不能抵赖了。有时声音的抑扬和字面所表示的意思是一致的，这时候字面的意思便格外有力；有时声调和字面是相反的，而这个矛盾，反可使得声调所表示的意思，更为可以明朗。

抑扬的方向，久暂，与曲折

声调的抑扬，除了上述的方向的变化而外，还可以有久暂和曲直的分别。这三者的交错变化，可以表达出各种复杂的思想。照平常说话的经验，声调向上的，大都是表示不完备、混乱与怀疑的（平常问话，都是向上）。声调向下的，大都是表示完备、决定与信服的（问话而不欲人回答的，如“他难道不也是这样一个东西么”，都是向下）。又对于几件不相联的事物，向上的声调，能把他们联系起来，成为一体；向下的声调，却把他们各自分开，每个着重了。又，声调的抑扬，拉得长的，表明说话人的态度积极热烈；缩得短的，便给我们以粗暴坚强的印象。又，声调的走直线的，显出一种庄严、正直、诚恳的态度；那打个圈子转过弯的，便不外是冷话，反话，双关的话，暗讽，漫骂，恶赖的话之类；所传达的意思，必然也是转弯的了。

实验例证四：

下面剧词中，字下加圈的，虽有四短句，但所说的只是一件事，应当用什么调子念？

> 大保——偏是放下正经事不做，去请了九个道士来打醮；点香烛，拜神道，念皇经，烧纸宝，说是可以感动苍天，会落下雨来的。那么，到底灵不灵呢！这个真叫做迷信。

实验例证五：

下面剧词中，字下加圈的七句，所指是七件不同的事；要把它们分别开，是否非用向下的声调不可？

> 陈全福——为了求雨，乡下人可以做得的事情，差不多是都做了。吃素，断屠，烧香，许愿，求神，拜谶，特特为为从城里请了九个

法师来，打了七天醮。人也忙死，钱也用不少。

可是天上的雨，总是不肯落下来。

高低与抑扬的合作

声调的抑扬，常是与调门高低的变化，连在一起，这便能于表示意思之外兼传达情绪了。例如我们对于一件事情，心里还不大放心的（怀疑），觉得还须要料理的（不完备），并不坚持己见，强人家服从的（自己无定见——混乱），本来是用向上的声调；现在再将整段话的高低改变了，便表示出不同的情绪：

（一）高的——质问 （一）低的——祷告

（二）高的——希望 （二）低的——同情

（三）高的——惊讶 （三）低的——恐怖

又如对于一件事情，我们已经是决定了的，或是已经放弃了的，或是自己态度非常坚决，不许他人违拗的，我们本来是用向下的声调；现在再加上高低的变化，成为：

（一）高的——命令 （一）低的——责备

（二）高的——愤怒 （二）低的——怀恨

（三）高的——声冤 （三）低的——消极，悲哀，沮丧

又如我们要把两层意思或两种事实，比照衬托——使得我们所要说的真实的意思，更为明显而有力，本来是用弯曲的声调的；现在加上高低的变化：

（一）高的——恶毒的反言讽刺，“哀乐纽”（irony）。

（一）低的——鄙弃，嫌恶，侮蔑。

这里不过随便举几个例就是了。做演员的必须随时注意人生的实际。

四

吐字的用劲

在发出字音的时候，每个字须要用一定的气力；干净，爽脆，果断，绝对没有拖泥带水；这叫做吐字的用劲（touch）。用劲是每个字都得用的；不过念剧词，更得注意那每个短语中的主要字。现在人的念剧词，常犯一个毛病，就是喜欢**拖音**（drag）；尤其在他们感觉得剧中人有情绪而需要用声音表达的时候。往往一个字的

音，延长到第二个字的音里去，而且并不是有理由地故意地用来说明那说话人的态度的，所以也不成为抑扬而只是一种“哭腔”，听上去甚为单调而可厌的。每个字的发音，应当是像撞钟一样，正确，纯洁，堂皇，响亮；或是至少也得像钢琴那样铿锵，不应当像风琴那样呜呜不已的。用劲须用在一个字有音部分即韵母上；声母与韵尾是不可用劲的。用劲也不是说这个字念得格外加重或格外加响。加重就是把一个字念得比别个字高，与现在我们所说的用劲不同；加响是最拙笨的着重方法（野蛮人与兽类，不会用高低抑扬顿歇等方法，才一味用加响），加响是可以说明情绪的热烈，很难分别出意思的主仆轻重的。我们现在对每个字，都得用上适当的劲，而句中主要字的吐音，用劲格外得多一点，使得这几个字，能给予听者更显著明白的印象。

实验例证六：

下面这一段话，是不是每个字有用劲的必要？那字下加圈的几个字，是不是需要格外用劲，**而并不是简单地加重加响：**

周乡绅——（对乡下人说）田里缺水，想必是天不落雨的原故。我们就应当斋戒求雨。从前大禹的时代，也是大旱，“三年不雨，乃作桑林之舞”。这个叫做“挽天意”。（他说得这样神秘，众人莫名其妙，面面相觑。）

念词的速度

说话的快慢，是被生活需要所决定的。一个人在肩负重物的时候，行动不得不缓徐；而在他一身轻松的时候，行动自然可敏捷，这是我们在日常人生里看见的。所以一个人表示意思，也是那严重的、有关系的、经过考虑的话，说得慢；而那零碎琐细的、无关紧要的、未加思索的话，说得快。一个人发泄情绪，也是在那情绪虽烈而仍能受他制裁时，说得慢；而在那兴奋得完全不受他管束时，说得快。这样，**演员在念剧词的时候，就可以变换说话的速度，将几个不同的意思情绪对比对照**，以显出那一项是轻微，那一项是重要，那一项是平凡，那一项是特殊，那一项是枝节，那一项是主体了。

快慢失当

对于说话的速度，通常有两种错误：一是不应快而快，把一句话的重要意义随便放过漏过了；一是不应慢而慢，把一些不十分重要的意思，也看得太郑重了，有使人误会的危险。这都是一个做演员的人，应当随时留心改正的。

太快、太慢、太单调

至于整段剧词的念读，不可太快，不可太慢，更不可太单调。太快使得观众在种种方面都“来不及”，这是无须多讲的。太慢即流于一字一拖，一字一顿，固然可以听得清楚，但常会使人感觉得气闷。太单调是自始至终用一样的快慢。这在说的人，是对于所表示的意思与情绪，自己分不出或不欲分出轻重主宾；而在听的人，也决计不会感到兴趣的。那不分快慢的说话，是教堂里牧师祈祷时所用的，严肃极了，庄严极了，但传道演说便已不宜用这种声音，因为到底是平凡而使人疲倦的。一字一顿的慢读（staccato，每一个字都一样的着重），人生中也偶然用的，一是表示十分坚决，一是表示十分惊讶，但如长篇大段的使用，便近于口吃了。**有时快，有时慢，不断的变化着；而在情绪增加紧张的时候便愈说愈快**，愈说愈紧（climax），这是适当的念剧词的方法。

实验例证七：

下面两处字下加圈的句子，都是一字一顿的，是那一句表示惊讶，是那一句表示坚决呢？

柱升——（握起拳头在王老爷的面上晃，就要打他的样子）问——王老爷，——打人，——动手——打人——是不是——犯法的？

王老爷——（见他拳头有点怕）打——打——打人——是——是——犯法的——犯法的！

实验例证八：

下面几段剧词中，字下加圈的应当念得快，字下加点的，应当读得慢。对换一下，行不行？

李全生——五奎桥的风水，也许对于姓周的一家还是好的，因为你周先生的田在桥西面的多。对于我们桥东几十家种田人，五奎桥的风水坏透了。

周乡绅——桥是我们周家的，我姓周的一定不许你拆。

李全生——一定不许拆的话，恐怕这座五奎桥（有用意的），连到对于你周家的风水也是不好的了。

五

音色：声音的情感化

音色（tone-color）是一个人的音质（quality）受了情绪的影响而起的变化。每个人的持以发音的声带与喉口鼻，和每个人的持以振音的全身骨骼与肌筋，是先天生成，不和别人相同的，所以他的音质各别。所谓各人有各人的喉咙，听熟的人，不必见面，也可以认听出来的。**音质虽不能改易，但是受了情绪的影响，会起明显**

的变化的。愤怒时，恋爱时，快乐时，悲哀时，音色截然不同，旁人一听就懂。而且好像声音的抑扬对于“意思”不能作假一样，**音色对于说话人的真情绪是掩饰不来的**。纵然话句的字面做着相反的表示，而音色是不会虚伪的。情绪为什么能够这样变化音质呢？这是生理上的一种自然状态！因为人在有情绪的时候，全部肌筋的紧张程度，都起有变化。某种情绪，肌筋格外紧张，某种情绪，比较地松弛与柔软，有时在人的面上与手上，还可稍微看得出。**这个肌筋的紧张，在喉头的，固然影响了发音，而在胸腹和身体其他各部的，也影响到声音的回振**——声带譬如胡琴上的两根弦线，全部肌筋便像胡琴上的竹筒与蛇皮——**于是造成了丰富复杂美丽**微妙的音色，**而声音竟可以说是完全情感化了**。

声音怎样能够情感化

一个演员，**欲求声音的情感化，是不能勉强用力的，他须真的先有这个情感**！因为肌筋的在有情绪时的紧张，是不得由他做主的。演员除了用替代刺激的方法——用语言或默的语言（即思想）来代表某一种刺激的现实——引起他的身体，作种种那情绪存在时应有的反应而外，他没有别的方法使得他身体的肌筋获得适当的紧张的。这时的困难，和在那仿效情绪发泄的动作时，是一样的。**一方面，要真的情绪的引起，愈真愈好；一方面，那使用着的肌筋的收缩与放松，又须完全由他管理做主**，不可像野马使性似的跑了开去！这一点已在第三章末节讨论过了，这里不再多赘。

这里把情绪影响**喉头肌筋**的简单情形（关于全身肌筋的，太复杂了，科学家还不能完全知道），列表说明，以供参考。

情绪	生理变化	音色	声效果
（一）暴怒	血液充胀喉中，使气流不易通过	喉音	粗暴
（二）失望	腹部肌筋似乎被禁制，仅仅用咽喉回振	胸音	空虚
（三）无诚意	仅仅用硬腭回振	口音	单薄
（四）侮蔑	软腭垂下，一部分气流在鼻中回振	鼻音	嗡闷
（五）讥笑（恶意的学人说话）	声带不并紧	假嗓	类厉
（六）傲慢诚张	吹气多，口张大，口腔放宽	夸音	宏亮
（七）情绪紧张	声带只稍微接触	沙音	嘶哑

实验例证九：

下面的两种对话，应当用同样音色去念呢，还是用不同音色去念？那第一种应当用什么，那第二种应当用什么？第二种句下有圈的和无圈的，是不是也该使用两种音色？

大保——你晓得云是从那里来的？

珠凤——是地面的水气。

大保——咦，你倒都晓得，很像是念过书的！乡下人不都相信，云从龙嘴里吐出来的么！什么海里有海龙王，河里有河龙王，塘里还有塘龙王呢！

（珠凤笑了）。

李全生——桥西的年成是好的。可是如果桥东的稻都枯死了，你让我们到你的祠堂里，吃你周家的米么？

周乡绅——放屁，这是什么野人，敢说这种野话！他是什么人，他姓什么！

六

念词时候常有的毛病

（一）不能设身处地，只去仿效声音的表面变化，而不求一切“自内而发”（即演员对于剧中人的性格和剧词的意义，了解得不够充分；或演员太偷懒，不肯努力）；（二）发音机关不灵敏（即肌筋在平时未有适当的训练；演员至表演时虽有情绪与意思，但因肌筋有拘牵，遂至“词不达意”）；（三）对于剧中人不忠实（为了声音的变化而变化，不为了剧中人自己的思想与情绪的改变而变化）；（四）卖弄喉咙（这是声音好的人，才会如此的）。这些都是毛病，应当改除的。

实验例证十：

（一）把本章所讲的声音表现的方法，都使用了来念读下面一段剧词；凡是句子应当用“顿歇”，“高低”，“抑扬”，“顿挫”（即抑扬的拉长的），“用劲”，“快慢”，“一字一顿”，“愈说愈紧”，情感化等方法的，**都注明在旁边，然后照它去念**；自己留心一下效果；（二）完全不作机械的注释，而只去**设身处地的发挥**剧中人的思想与情感，**然后再用理智去仔细修正一番**；这样，再看效果，是不是比第一个方法好些：

李全生——（猛地立起来；抬头望天，晓得雨是没有的了）太阳！（替他的田里的稻发呆）又是大太阳——（其声凄厉）满天都是太阳！（转身再看桥那边的田，桥东桥西，看了又看。桥西的稻是生长的、青秀的，桥东的稻是萎倒的、枯焦的。一死一活，此刻在太阳照耀之下，显比得明明白白。全生愈看愈难过，愈看愈不能忍，大声嚷起来，一半对自己，像是疯狂了似的）你不看见么！西边的田，田里有水！稻是活的！东边的田，田里没有水！稻是死的！人家种的田，稻是活的；我们种的田，稻是死的！为什么我们种的稻，应该死的！为什么我们的稻，会得死的！都因为这座桥，这座五奎桥！我们还不快点拆桥；还在这里呆等痴等空等，等到我们田里的稻，枯完死光，我们自己再饿死么！拆桥呀！今天就拆，马上就拆！乡下人齐了心，大家来拆呀！我喊人去了。（飞也似的奔去了。）

附白：本章实验例证里所引用的剧词，都从拙作《五奎桥》中摘出的；这无非是为了便利的原故，没有别的意义的。

第六章　怎样创作人物

表演是有目的地刺激观众——表演须做脚色——什么是表演中可得而创造的——为什么演员生活必须丰富——从了解人生到计划表演——计划的试验与修正——在实际表演时——“诚恳高于一切”与表演的“可信”

一

表演是有目的地刺激观众

表演不外是用动作与声音来刺激观众的视觉与听觉；但是一味刺激，实在是不够称为表演的。**表演须有目的**：须是使得观众在看了表演之后，对于人生，有一个充分的认识；须是使得观众对于人生（即剧中故事所代表的一部分），作成一个主张，表示一个态度；须是使得观众对于那被环境社会所制造磨练成而此刻正在故事中受着压迫竭力挣扎着的人物，同情与了解，获得一个正确的估量与结论。**表演亦须有计划**：须是演员从剧本里，寻出他所表演人物在故事里应当发生的作用，而设法使他不辱所负的使命；须是演员把他自己对于人生的知识与见解，和剧本所规定的人物的个性互相参证，使得他更加真实而可信；须是演员预先决定那人物应当有的动作、姿态、音调、口气、状貌、服装等，使得每项每目都发生“说明个性”的效果。旁人一看，即能认清。**表演亦须有方法**：须是演员能全权处理他的身体，能理智地运用他身上各部的肌筋，实践他所志愿的动作与声音；须是他能够在表演时和旁的演员合作，调和整个的印象，不使有混乱与矛盾；须是他能自然地不费力地完成他的工作，日复一日地重复地维持他的成绩，而不是时好、时劣、时进、时退，一切在乎他的高兴！表演必须是有方法地、有计划地、有目的地刺激观众。**胡乱的漫无主张的刺激，或为了刺激而刺激，都不成其为表演的。**

于是乎演员的修养与训练，便十分重要了。训练是使得演员有“肌筋的才能”的，在前面几章里已经说过了。修养是使得演员晓得应当怎样使用他的才能的。戏剧界常说一句话：**“会做戏的做脚色，不会做戏的拼命做戏！”**做戏就是演员施展他的肌筋的才能，而“做脚色”，便是说这些才能，不是胡乱地施展，而是一个晓得“应当怎样施展”的人在那里施展了。老实的说，剧中的脚色或人物，可以算是戏剧的重心。从人生一方面言，人物是时代的产物，是环境所造成的。某种社会里必然有某种典型的人物，而某种特别个性，必然是某种社会里才能有。所以如果人们能够对于某种人物深刻地了解，他们对于那造成这些人物的社会，必也有了相当认识。再从戏剧一方面言，人生是空泛的，有了故事，观众才看见人生的事实，而故事是由于剧中几个人物组成的。所以观众们的了解人生，先是认识几个人物，再留心注意他们的行为而晓得了一桩故事，再从故事上举一反三地明白了人生的究竟，而下一个判断的。演员做戏，从做脚色入手，诚然是一个适当正确的方法。

什么是表演中可得而创造的

不过，演员并不是在那里独立地自由地创造脚色，而须扮演剧本中所规定的某一个人物。演员也有创造，但他的创造是有范围的。他先把剧本研究一下，看那剧作者关于那人物所说的是些什么。而后他把他自己平常收集了的他的对于人生一切的知识——不论是从自己的阅历，或是观察，或是从听人报告，或是从读人记载而来的——此刻一齐都搬将出来，与剧本所说的相比证。结果，或许他自己的知识和剧本中所说是刚刚完全相反的，他就得更加仔细地研究，以求觅得两者间的相同点。如果他始终寻不到，他便对于这个脚色自己都不能相信（这个脚色不在他阅历之中），最好是辞谢不演。勉强演成，成绩也不会好的了。但比证的结果，或许他的知识和剧本所说的多少是一致，可以互相发明的。这时候，他的创作的机会便来了：**他可以将他自己阅历所有，而为剧中所无，但并不与剧本规定相冲突的种种事实，酌量地引用过来，搬移过来，使得他所扮演的脚色在思想情绪生活方面，更加完备，更加丰富**。而他的表演，就可以有那剧作者所意想不到的好处了（一个人自己编戏自己演，往往不如把他所编的戏交给别人演时效果来得好，就是因为那别的演戏的人，也贡献他的若干知识，把剧中人丰富化了的）。

为什么演员生活必须丰富

演员要想把剧中人“丰富化”，先得把他自己的生活“丰富化”。**他得有灵敏的感觉**，“眼观四处耳听八方”。凡是人生中发生的一件事，那怕是极琐细的，他也得注意；那怕是极复杂的，他也得明白。这样才可以多收罗一点事实。**他又得有浓厚的情绪**，不但是能“替古人担忧”，能设身处地的把别人的喜乐当作自己的喜乐，而且自己也要有“我不入地狱谁入地狱”的决心，要不怕有情绪的阅历，以求更亲切地体会一个情绪发泄时身体变化的程序和曲折，以求更清楚的分析一个人的自然动作怎样受了环境的影响而造成社会动作，以求更深刻的了解一个人处在某种环境里所能有的心理。**他更得有理智与学问**，对于社会科学中的生理学、心理学、社会学、经济学、人类文化史等，尤须有相当的研究，庶几他所直接从人生得来的知识，不至于因为表面上的复杂混乱，而也害得他“茫无要领”。同时科学的方法还可以帮助他查究寻觅他所须要知晓的一切事情。当演员的，就得这样准备他自己，如果他在演戏时想要好好地演出或创造一个人物。

二

从了解人生到计划表演

一个演员对于剧中人的个性完全了解的时候，便得做出一个计划去表现他。**好的表演，一切都是预先计划好的**。演员个人的阅历，什么部分可以用在戏里，去把人物丰富化的——这个须要计划。剧本规定一个特别动作，有许多方式可以做的（如取手枪自杀），规定的一句特别说话，有许多方式可以念的（如“我还有什么留恋呢”），究竟应由用那一个方式去做去，这是最为适当与有力——这个须要计划。一出戏中，前后有数次类似的事实的（如一个男子和一个女子前后遇见三次，都是讲爱情），怎样使得表演有变化，不单调而重复——这个须要计划。一出戏中，一个人前后做了两次绝对相反的行动的（如一个男子本来是十分崇拜一个女子，曾经为了她而去杀死她所不喜的人，后来竟然会把她也杀死），怎样才能把他的心理情绪的转变描写明白，交代清楚，使得观众在表面的矛盾之下，看出他的一贯单纯——这个须要计划。把一个平常的典型的人物，表演得新鲜特殊而仍不失其普遍性——这个须要计划。小而至于一个人物的习惯的立法，坐法，走法，看人的神气，吸烟的姿势，化装，服装，一切细节，一切小动作等，使得它们对于个性都有帮助而没有“反效果”——这个也须要计划。一般看戏的人，看见台上的表演，自然极了，容易极了，以为演员们是极不经意的，极随便的，而不知表演的事，**没有一样是偶然的，没有一样是碰机会的，样样都是经过了研究来的，样样都是经过了选择来的。**

计划的试验与修正

可是计划并不是一成不变的，而须要试验与修正。这就是在**排演**了。**做演员不可怕排演，排演愈熟，演员对于剧中人物认识愈深；而对于表现的手段方面愈多**

可以发明。往往有许多好的动作、好的音调是在排演时获得了而组织入整个的计划里去的。因为只有在排演时演员才不妨放任他的情绪（见第三章），而这个真有的情绪或者造成他的几个动作几个音调，都不是他冷静地独自地研究时所能想得到的。这种时候的发明，演员如果自己不曾把它看出记住[1]，那在旁边做导演的人，也得代他指出，唤他注意（好的导演，不只是为演员排地位，也不必替演员想小动作，而得有能力，使演员们肯于放任自己的情绪，流露许多原来未曾想到的动作声音，俾他可以从事选择审定）。每次排演，都应当是这样试验修正那演员的表演计划的。那懒于排练的演员，往往在排演时不用力。他说，我到真的表演的时候自然会“好”的！不错，比他这种没精打采的排演，当然是会好一点；然而他是失去一个多么难得的了解人物创造人物的机会了。这种演员，根本没有表演计划的，或只有一个懒的计划，所以演来演去，

[1] 从前英国一个著名演员，某晚在后台听见有人来报告，说他的妻子死了，他惊讶之下，口里喊一声“啊”；忽然他立刻停住，并对他自己道：“这个‘啊’喊得好，下次我表演 Othello 的时候，必得使用这声‘啊’！”

老是这一套，不易有新的贡献。

三

在实际表演时

假定此刻演员是在台上了。现在他有两层义务：一是不要对不起自己，二是不要对不起同事。一个人无论有多大的本事，一慌便不中用，一慌便把他事前所练习的所计划的所准备的都忘却了。所以演员在台上**第一须镇静（虽精神提起，而身上肌筋还可以随意放松）**。演员如果是能有把握的，他也无须乎过分用力；他获得他的效果，是很“写意”的；大部分的时候是含精养锐的，必要时才一用力，正不必面红耳赤、箭拔弩张的。所以演员在台上，**第二须经济（节省他的气力，节省他的喉咙，丝毫不去浪费）**。一个人成年累月地把一出戏继续不断地演，演得太熟了，便不免有陈宿气，甚而流于油滑，这可以把表演最好的效果，一笔勾销了的。演员说一句话，做一件事，虽是第一千遍了，他所给予观众的印象应当还像是第一遍。所以演员在台上**第三须清新**

（未开口未动作之先，把应说的话，应做的事，稍微想一想，就可以显出表演的自动性的）。有些演员，只顾自己，或只知照应自己，而不知怎样帮助别人。轮到他说话便说话，轮到他动作就动作，不轮到他的时候便休息着等候着，不断地“跳进”与“跳出”他的脚色，而不晓得在别人表演时，也做表情。这样，他个人的表演便成为继续的而不是一贯的，而全体的表演，也成为个别的不是合作的，效果便不纯厚了（说话动作的时候，演员是在刺激别的演员，同时也刺激了观众；但在不说话不动作的时候，他应当表示出他是在接受别的演员的刺激，这个也可以刺激观众的）。所以演员在台上**第四须机灵（注意倾听台上别人的表演；自己绝对不乱动，不去扰乱观众的视听，但同时能领导观众的反应，这是“没有表演时的表演”，是最高的艺术）**。

诚恳与可信

最后，我们应当一谈“诚恳高于一切”的问题了。这是有一部分人主张的，他们以为演员无须练习动作，无须练习发音，甚而至于无须排演，只须演员感觉灵敏，又富于同情性，能够把他自己设身处地的化作剧中人，表演就可成功了！平心而论，一个十分诚恳而一点不懂“术”的演员，偶然因为条件碰对，也可以成功的。但是他仍得要具备这两个条件，即是：

一、化身为剧中人使得环境中所给予剧中人的刺激，他都可感受到；

二、同时能用理智来管束制裁支配他的反应。

如果一个演员只备具第一个而未备具第二个条件，他便会被情绪做了主去，真的在台上“泣不成声”或“气得说不出话来”。观众多注意他本人，而不注意剧中人物，故事便不“可信”了。他是一个很好的演员材料，但还不是一个好演员。诚恳，在于一个演员是必要的，但是，有了“术”才能使得他的诚恳，不妨碍表演，而使他所扮演的人物，容易为人了解与相信。

附　录

表演术图解*

第一章　指手肩臂的动作

动作的三种不同性质

表演的动作，可分三类：一是**指示性**的，即是简单地指示出一件欲使人注意的物事。二是**说明性**的，即是将一样物件的形状大小，或一件事情的前后经过，用动作比拟出来，使得意义格外明显的。三是**发现性**的，这是一个人的心理变化的流露，动作繁多而复杂，观众看见了，便多少能晓得那使用者的心境和情感的。前两种是人为的，后一种是自然的，但在表演时都有用处。

* 本文所用各图，皆从下列两书摘出：(1) *The Actors'Art* by Gastave Garcia，(2) *The Art of Pantomime* by Charles Aubert.

手的指示

（一）指点一样物件或一个人——手臂伸出，食指伸直准对所欲指的东西，如图1。

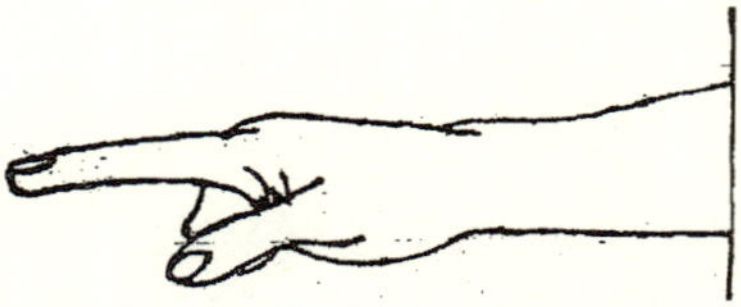

（1）

（二）指点自己——手臂弯曲，食指点着前胸，如图2。

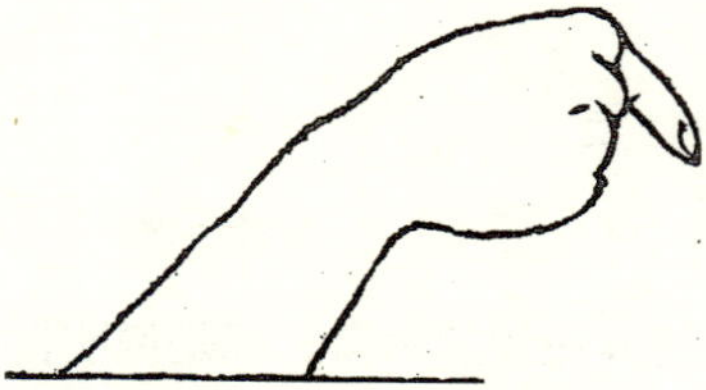

（2）

手的说明

（三）比拟一样物事的形状大小，乃是用一只或两只手的里面，摹画出那物事的轮廓；这类动作，都是比较容易的；但演员须注意，不可有过分的夸张。

手的表情

（四）手平而手掌向上的，乃是**请求**，**质问**，**举起**，**支撑**等类的表情。

甲、“给我”,“告诉我”,“允许我”等,如图3,不动;又“举起”,“帮助”,“起立”等,如图3,但从下向上微动。

(3)

乙、“请你听从我这句话罢”,如图4。

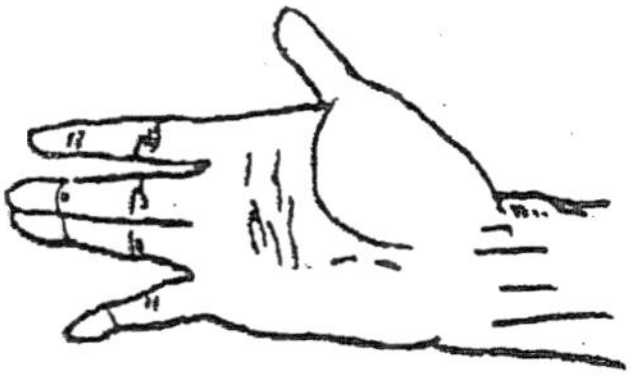

(4)

丙、极诚恳的祈求,如图5。

(5)

(五)手平而手掌向下的乃是掩蔽,保护,赐福,应允,命令,指挥,安慰,饶恕等类的表情。

甲、“我保护……”，“我遮庇……”，如图 6，不动；“降福”，“饶恕”，如图 6，但从上面伸手下来；安静，“耐心”如图 6，从上向下微动。

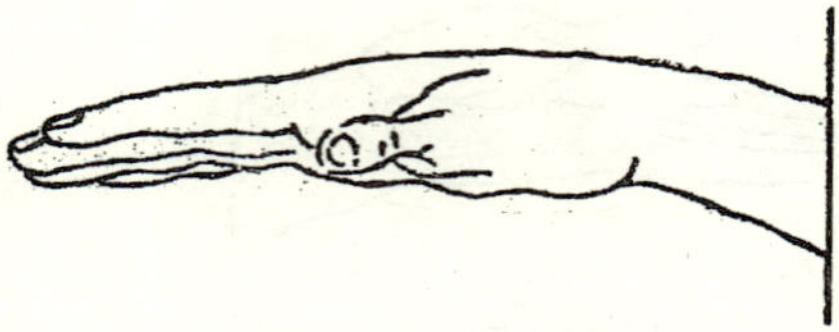

（6）

乙、坚决的命令，如图 7。

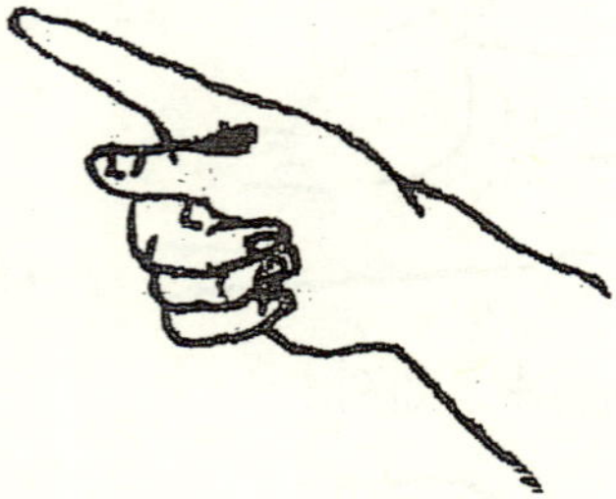

（7）

丙、和平的命令，如图 8。

（8）

丁、非常和平的劝导，如图 9。

（9）

（六）手斜侧而以掌尖向人的，乃是**和平**，**接近**，**善意**，**亲密**等类的表情。

甲、“老朋友多年不见了！”如图 10。

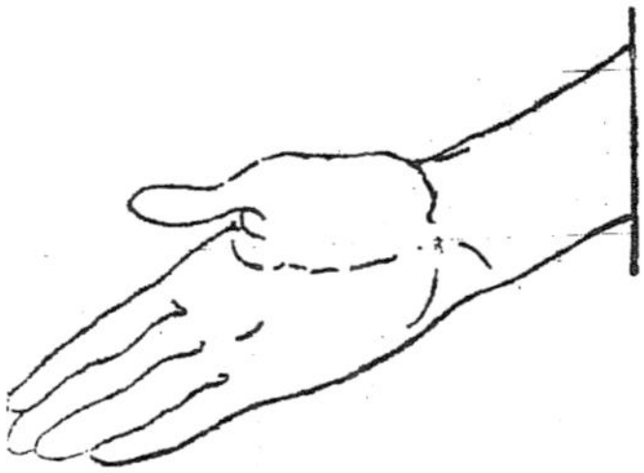

（10）

乙、“我来扶你，好么？”如图 11。

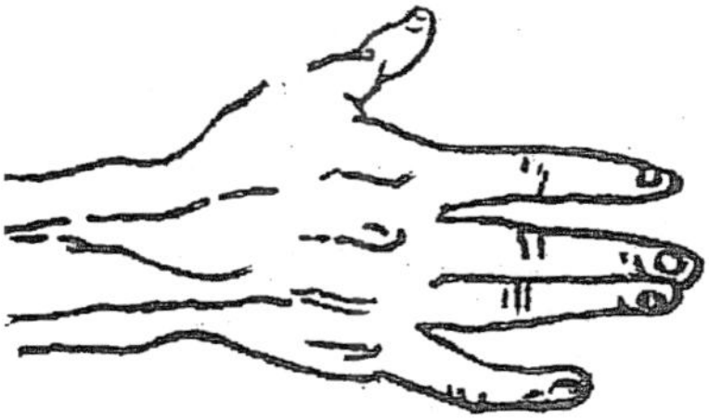

（11）

丙、“这一点点，何足挂齿呢！”如图 12。

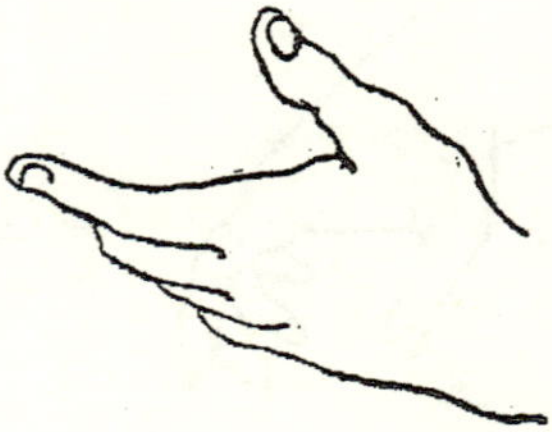

（12）

丁、“我晓得这一定是你赠我的！”如图 13。

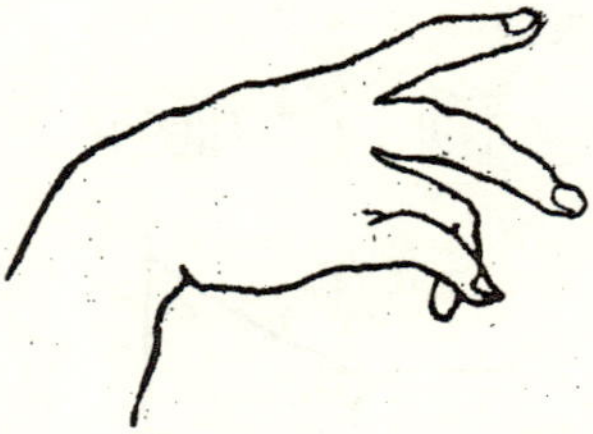

（13）

（七）手竖而手掌向内的，乃是招致，进来，欢迎等类的表情。

甲、“请你相信我”，以手抚胸，如图 14。

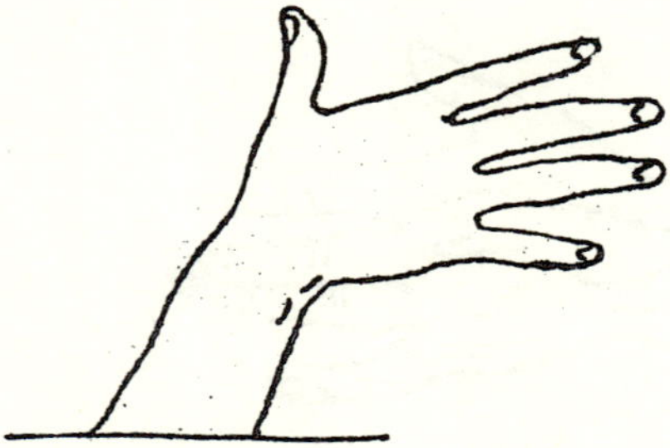

（14）

乙、“我欢迎你”，“请进来”，如图 15。

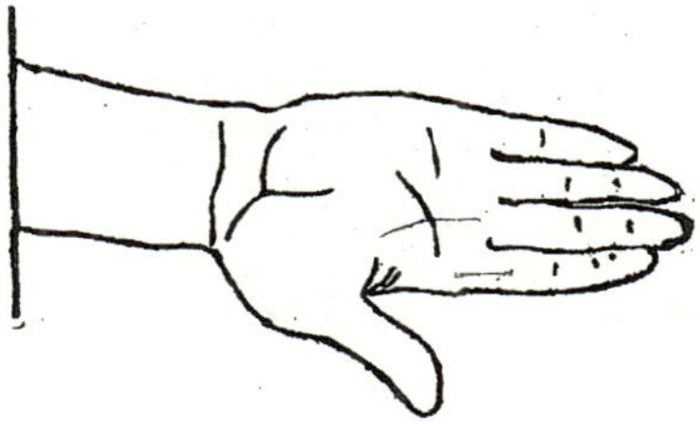

（15）

（八）手竖而手掌向外的，乃是走开，分散，拒绝等类的表情。

甲、“拿去”，“散开”，如图 16。

（16）

乙、“讨厌”，“我反对”，如图 17。

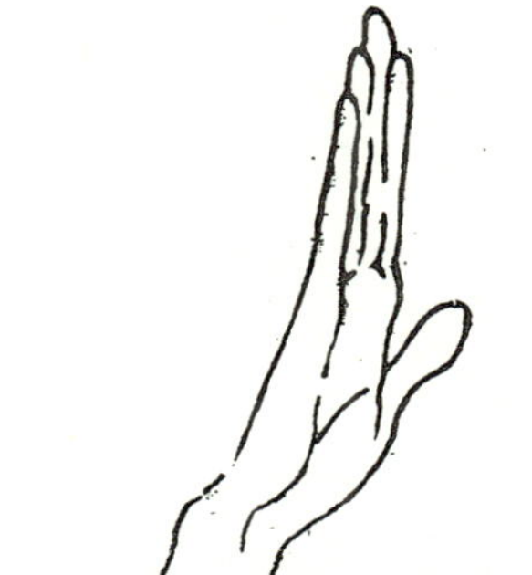

（17）

丙、“千万不要这样”，如图 18。

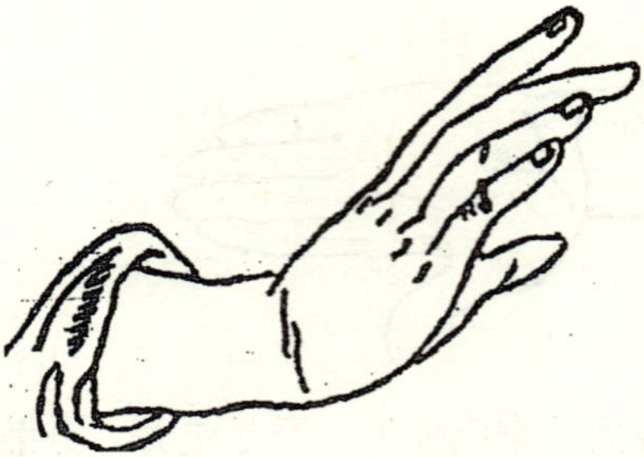

（18）

（九）握拳，乃是**夺取**，**占据**，**征服**等类的表情。

甲、“我非要它不可”，先是摊开的手，握成拳头，如图 19；**压倒**，**毁灭**，如图 19，但持久地用力地握着拳头；**阴谋**，**窃取**，如图 19，但手指一个一个很灵巧地握拢。

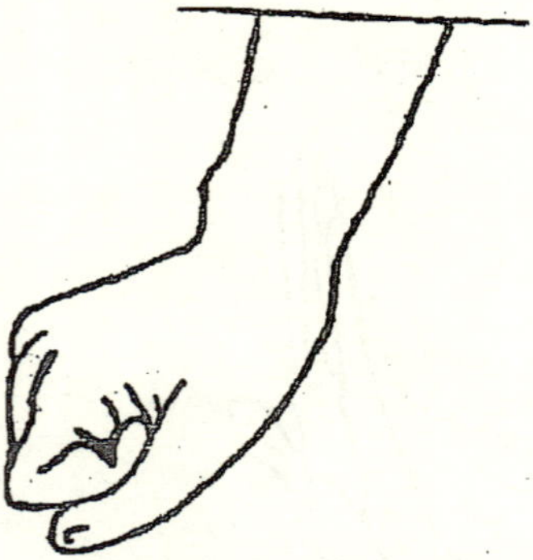

（19）

乙、**贪念**，**热欲**，手指弯曲作半握，如图 20；**破坏**，

恶毒，如图 20，将手竖直，并更用力。

（20）

丙、**坚决**，牢握一件物事，如图 21。

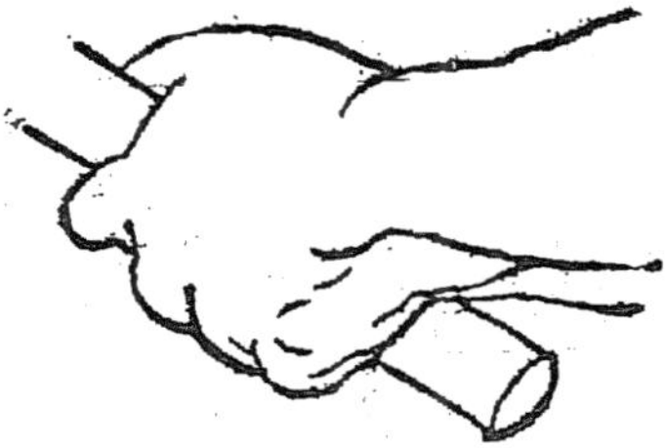

（21）

丁、**心神安泰**，随意抚弄一样物件，如图 22。

（22）

（十）将手摊开，乃是**承认**，**坦白**，**有所主张**的表情。

甲、“你看是不是这样的”，“ 我立誓”，“我可以证明”，手摊开，掌尖向下，如图 23。

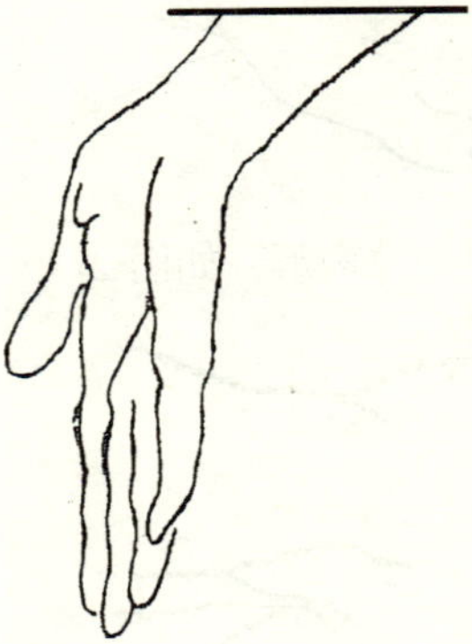

（23）

乙、“我完全承认”，“我普遍地主张”，手摊开，掌尖向上，如图 24。

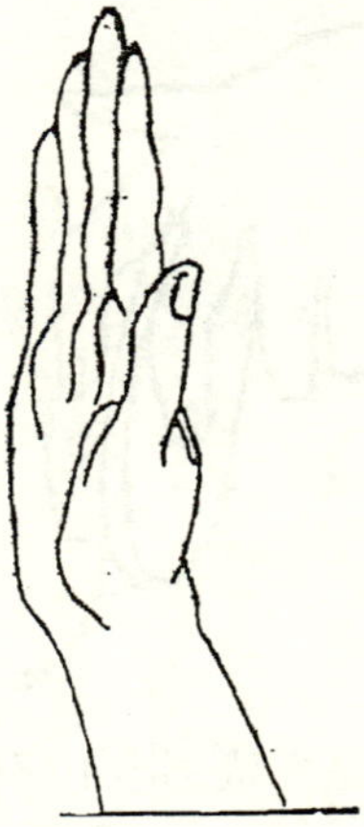

（24）

（十一）两手当胸交叉，乃是**满意安适**的表情，如图 25。

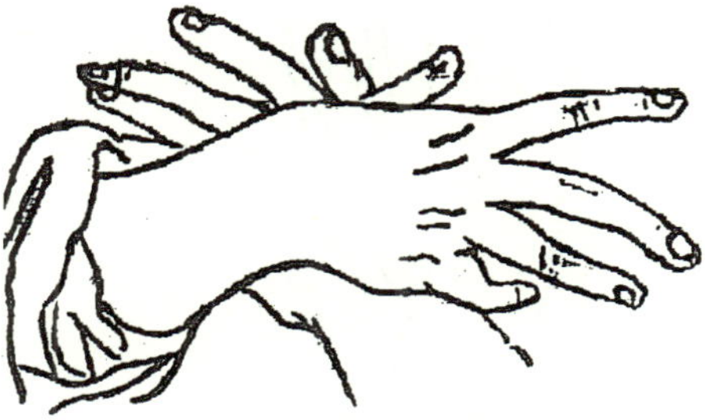

（25）

（十二）两手合拢，掌尖向人，乃是**向人讨饶**的表情，如图 26；

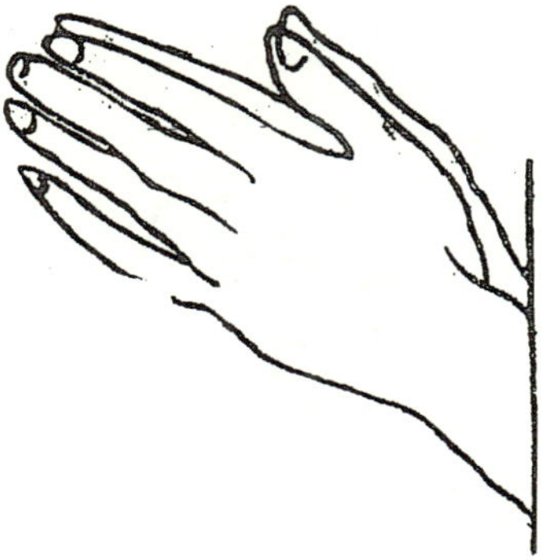

（26）

又，两手合拢，掌尖向上，乃是**对天求告**的表情，如图 27。

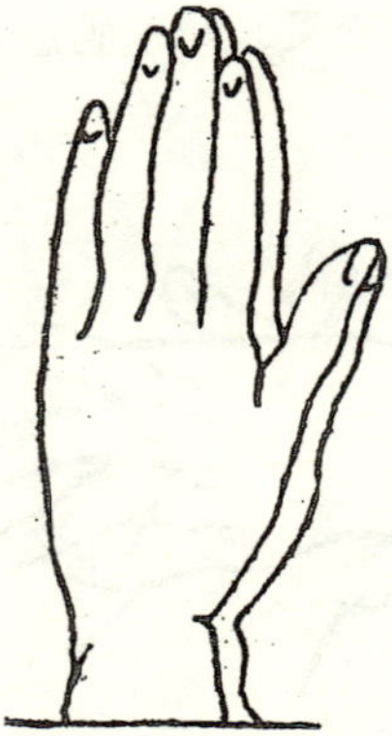

（27）

（十三）举手近面。手掌朝内，指尖从额微动向外的，代表**行礼**；从唇向外的，代表**接吻**；从心胸向外的，代表**恭敬诚意**。又从外向自身的，表示“前来”，“靠近”。如图28。

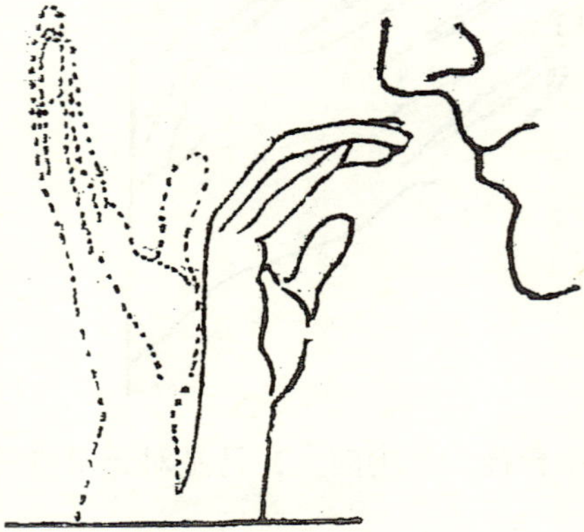

（28）

（十四）摇指，手掌向外，表示“不然”，“非也”。如图 29。

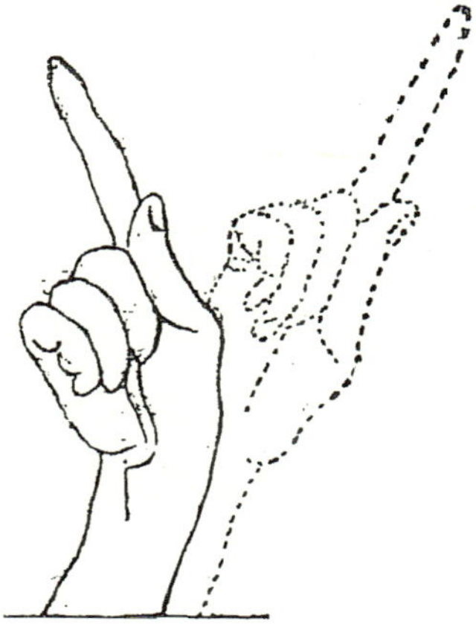

（29）

（十五）以食指点额，再点外面。手掌仍向内，表示“我有主意了”，“我想起来了”。如图 30。

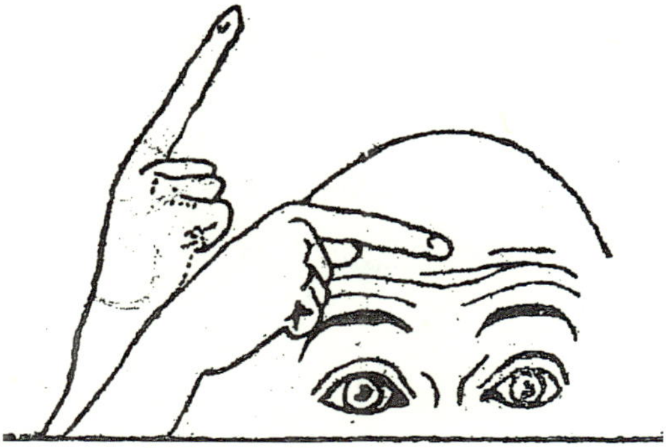

（30）

肩的重要

人体的动作，最容易使人看得见的是臂与手，而臂与手的动作，都须发源于肩。演员在要移动手与臂之前，第一步，先得集中气力在肩上。第二步，上臂用气力，动至所预定的地位。第三步，前臂用气力，动至所预定的地位。第四步，腕中用气力，将手与手掌，移向所预定的地位。最后一步，始在手指的节拐里用力，完成手的姿势。这个须由上而下，由大而小，依次渐进。如果遗漏躐等，动作便见有角而不圆顺，勉强而不自然。表演的人，不可不当心的。

肩的准备

在平常的时候，手和臂都不宜用力，应当是松弛地自然地垂在身旁，两手也不碰着身体。在将要有动作的时候，肩里就得有准备，看动作范围的大小，定气力的多少。这里，肩的动作，本身或并不表达什么，但是可以决定后来臂和手动作的热烈的程度。

肩的动作

还有时候，肩的动作，也可以表达情感。共有十种，现在可以很简单的做表说明。

表示的情感	肩的动作
惊羡	两肩举起
对抗	两肩退后
切望	两肩朝前
亲密	以肩轻触对象
躁急	两肩磨转
怀疑	两肩微耸
（恶意的）暗讽	一肩高，一肩低
痛苦	两肩缩紧
热欲	两肩时高时低
忍耐	两肩朝前降垂

三个部位

手与臂的动作，有三个部位，**手的动作是理智的**，仅仅帮助说明一句话的意思；在平常谈话的时候，也用得到；动作皆在自肘以下，两臂只可稍离身体。**前臂是意志的**，可以帮助表达那使用者的意志，欲念，愿望等等；臂可抬起；但动作至多与肩相平，不可再高。**上臂的动作是生命的**，是表现一切热烈的不可抑制的情感的；使用上臂，必然高举过肩，甚或可以高过于头的。现在再做一简表：

动作的性质	用什么	动作的部位
说明那句话的意义的	手	一、自肘以下
说明人的意志欲望的	手与前臂	二、肩以下肘以上
说明人的热烈情感的	手，前臂，上臂	三、肩以上

（十六）凡在第一部位里的动作，大半都是表示比较和缓的情感的。

甲、“我要对诸位讲的，就是这几句话！”如图31。

（31）

乙、“这岂不是很好的一件事么？”如图 32。

（32）

丙、“请坐，不要客气！”如图 33。

（33）

丁、“糟，糟了，上了当了！”如图 34。

（34）

（十七）凡在第二部位里的动作，虽有时也可表示强烈的情感，但是还不会至极端。

甲、“我热诚地欢迎诸位！”如图 35。

（35）

乙、“我这是老实话，句句都从心里发出来的。”如图 36。

（36）

丙、“好像是她在里面说话。”如图 37。

（37）

丁、“这也是使人为难的。”如图 38。

（38）

戊、“你这样是不对的！”如图 39。

（39）

己、“你当心点，我关照你！”如图40。

（40）

庚、嫌恶，如图41。

（41）

辛、怕惧，如图42。

（42）

壬、**愠怒**，如图 43。

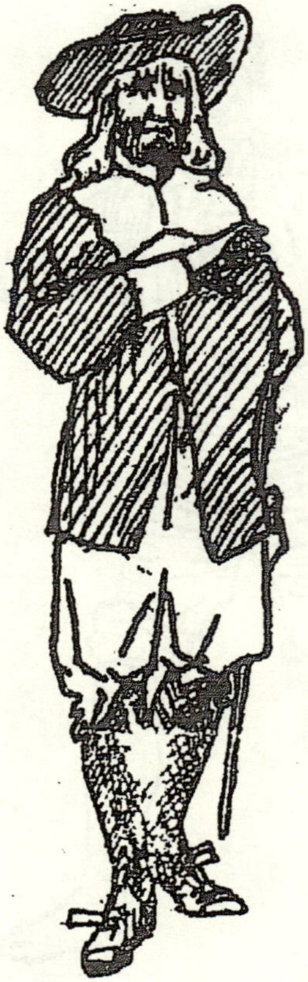

（43）

又、盛怒，如图44。

（44）

癸、鄙弃，如图 45。

（45）

又、有鄙视意的命令，如图 46。

（46）

（十八）凡在第三部位里的动作，都是诚挚的热烈的。

甲，“吾爱……！”如图 47；

（47）

又、“你一路自己保重！”如图 48。

（48）

乙、“我愿意拿我的生命来担保他！”如图 49。

（49）

丙、“不要忘记了他的教训。他永远是我们的领导者！”如图50。

（50）

丁、“威权者，你必须要顾念我们穷苦不幸的人们！”如图51。

（51）

戊、“我必杀你！”如图 52（不持剑，握拳亦可）。

（52）

己、“不要让我再看见你！”如图 53。

（53）

庚、恐惧，如图 54；

（54）

又、十分恐惧，如图 55。

（55）

辛、无何奈何，如图 56。

（56）

壬、非常痛苦，如图 57。

（57）

臂的表情

臂动的方向与速度，以及用力的程度，意义俱各不同。现再做表说明。

臂的动作	表现的情感
向身体动	傲慢，自尊，自夸，或让邀（视部位而异）
由身体向外动	憎恶，失恋，或命令（视部位而异）
伸展的动作	诚意，宽大，无成见，自由，勇敢，镇定
收缩的动作	卑鄙，省俭，深沉，烦厌，悭吝，猜疑，抑制
向上的动作	求诉，敬重，希望，期待，感应
向下的动作	完成，表明，决定
仓猝的动作	惊骇，焦虑，疑惑，犹豫，意外的发现
肌筋紧张	努力，坚强，奋斗
肌筋松弛	轻弱，倦怠
快速的动作	勇敢，抵抗，粗糙，凶暴，果断
迟慢的动作	温柔，谨慎，考虑

手与身体各部

手放在身体的各部，所表示的，也都一样。现再做表说明。

手的动作	表现的情感
手按额	痛苦，为难，苦思
手按眼	羞耻，忧苦，害怕

续表

手按口	止人说话，万一的几希。
手按胸	伤心，良心的主张
置背后	冷淡，不顾，疑惑
挥舞	有时快活，有时鄙弃
两手护搓	打算，为难
两手紧握	失望，痛苦

肘的表情

肘本是臂的一部，但自己也有独立的表情。现再做表说明。

肘的动作	表示的情感
提起两臂，将肘冲前	傲慢
提起两臂，将肘横伸	自负
提起两臂，将肘退后	对抗
两臂紧靠身旁，将肘冲前	狼狈
以肘轻触	亲密
以肘指点	简单的指示
微微转臂，以肘向对象	爱恋
以肘推挤	斗狠
臂与肘紧靠身旁	自己抑制
臂与肘如平时一样，在自然状态中，无动作	安宁

第二章　头脸嘴眼的动作

面部表情

手与手臂的动作，因为占据的空间，比较广大，所以较易为人们看得见（更其是在那看的人与做的人距离远的时候）。但是，那面部的动作，因为组织复杂，变化繁多的原故，最可以表现一个人的曲折隐微的心理。所谓喜怒的形于颜色，就是形在面部上。往往对于一个人的心事与情感，旁人只须看见他的面孔，纵然不再看见他的身体其他部分的动作，已可充分的明了了。摄制电影有单摄自肩以上，而将面部的表情放大至几十倍的特写法。

什么都是会得动作的

面部表情是整个的；头脸嘴眼的动作，必须调和，必须合作；凡是自肩以上可以动的部分，都得注意到。如果有一样没有弄对，即使大部分是对的，结果仍是似是而非，不会准确的。与那演员心里所欲表达的情感，相差虽是不很多了，但还是相差一点，还不是这一回事。于是愤与恨不清楚，忧与急不分明，表情遂不能恰到好处，欲作面部表情，应得利用全部会得动作的部分。一、头；二、脸（全部的肌筋可动，组成直的或横的纹路）；三、嘴，牙床，上下唇，舌头都可动；四、眼，眉毛，上下眼皮，瞳都可动；五、鼻，鼻孔都可动（这里动作虽微小，但也很重要）。

头的动作

头的动作，都在颈项里。动作的种类不多，但意义是特别明显的。做表如下。

头的动作	表现的情感
点头	同意，赞成，鼓励
摇头（和缓的）	否认，反对，不以为然
摇头（轻微的）	爱情，有高尚思想
将头斜侧	沉思（单独时），羡慕（看人时）
Atoss 忽然一挥	愤慨，鄙视
不动，但头中肌筋紧张	敌意，粗横，残忍

头的姿势

姿势是动作的结果。头的姿势，如果没有别部的动作去帮助它，效果是嫌不够的。但是必须要姿势适宜，而后其他部分的表情，才有基础与依附。

（一）头颈正直——自然态度——表示精神饱满，如图 58。

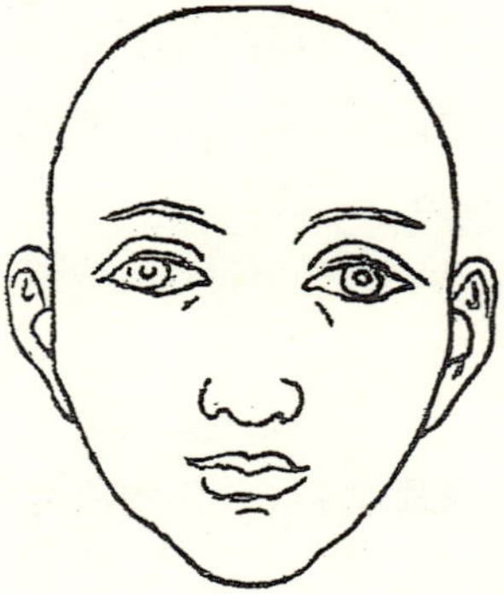

（58）

（二）头的昂起——是尊严，自大等类的表情，如图 59。甲、微昂，表示自信，意志坚强，骄傲，不畏困难；乙、高昂，表示十分傲慢，侮蔑，挑惹，反抗。

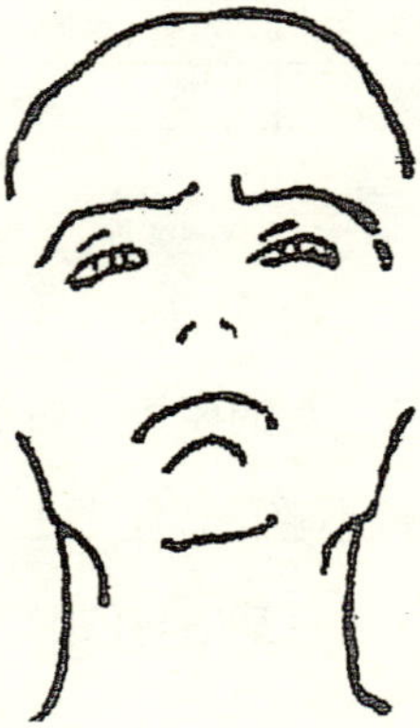

（59）

（三）头的仰后——是**软弱**，**失望**等类的表情，如左图 60。甲、半仰，表示**消极**，**失望**，**灰心**；乙、倒后，表示**十分痛苦**（“人穷则呼天”的姿态），**无可奈何**，**完全无力**（或失去知觉）等等。

（60）

（四）头的倾斜——是取悦于人的表情，如图 61。甲、稍斜，表示**卖弄风情**，**恭维**，或**矫饰**；乙、**完全屈服**，或**睡着**（眼闭时）等等。

（61）

（五）头的别转——这里可以有好几种意义：甲、转离对象的，是**畏惧**，**厌恶**，**不愿**等类的表情；乙、转向对象的，是**注意用心**，**恭敬**等类的表情。如图62。

（62）

丙、转向对象，但肩膀扛起，是**担心**，**怀疑**，**害怕**等类的表情，如图63。

（63）

丁、转向对象，但同时高昂，是倨傲，无礼，挑惹等类的表情，如图 64。

（64）

（六）头的缩低——俯前或仰后，意义完全相反。

甲、缩低而俯前，是猛暴，残忍，困斗等类的表情，如图 65。

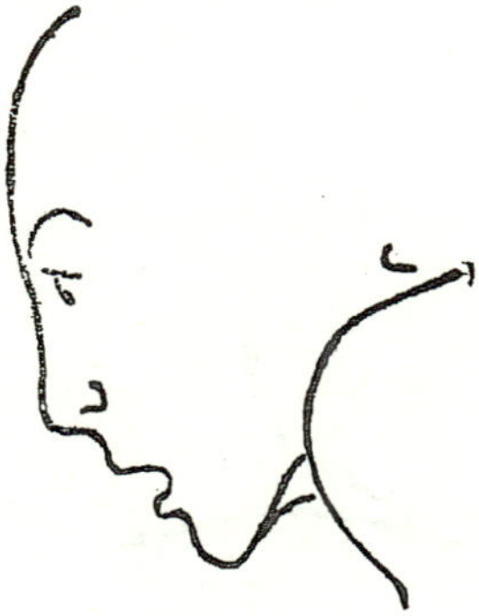

（65）

乙、缩低而仰后，是昏迷，恐怖，骇极等类的表情，如图 66。

（66）

（七）头的伸出——甲、正直而朝前的，是恭敬，自愿，感情已被激动等类的表情，如图 67。

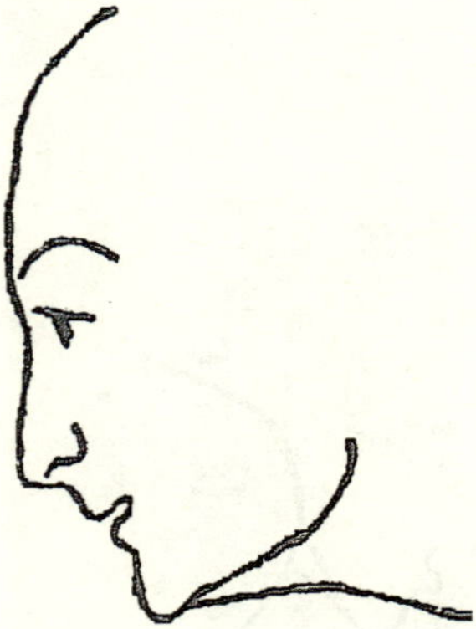

（67）

乙、正直而移在一边的，是**疑虑，十分注意**等类的表情，如图 68。

（68）

丙、正直而移在一边，但面孔是朝前的，是**善意倾听**等类的表情，如图 69。

（69）

（八）头的退后——退后而正直的，是嫌恶，烦恼，鄙弃等类的表情，如图 70。

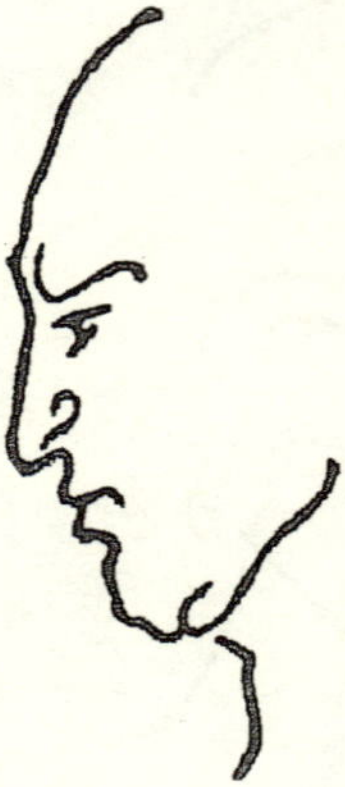

（70）

（九）头的垂下——是惭愧，慑惧，屈服等类的表情，如图 71。

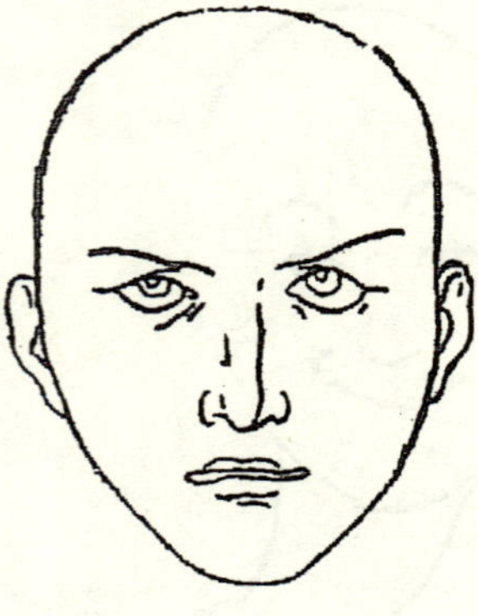

（71）

脸的表情

这里所说的，是脸面全部肌筋的动作，以及动作后所造成的纹路。这个与口鼻眉眼底动作，有连带关系的；口鼻眉眼的动作，如果不合式，脸面肌筋底表情当然是不会对的。不过此刻我们暂时只注意脸面的肌筋，以后再及其他部分。

（十）凡是“愉快”，“和蔼”，“善意”的表情，脸上肌筋的动作，都是向上的。

甲、恭敬，如图 72。

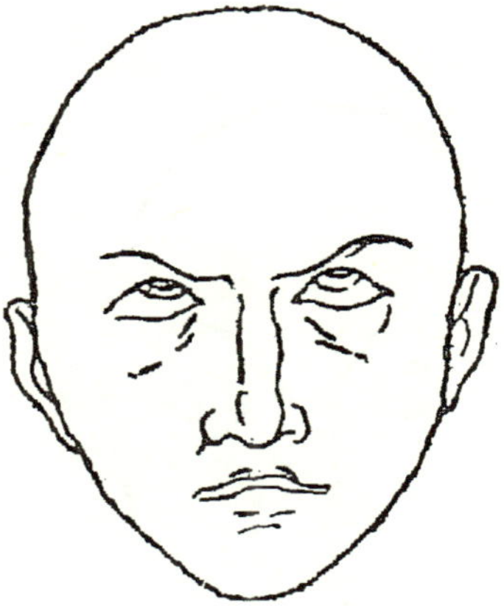

（72）

乙、惊羡，如图 73。

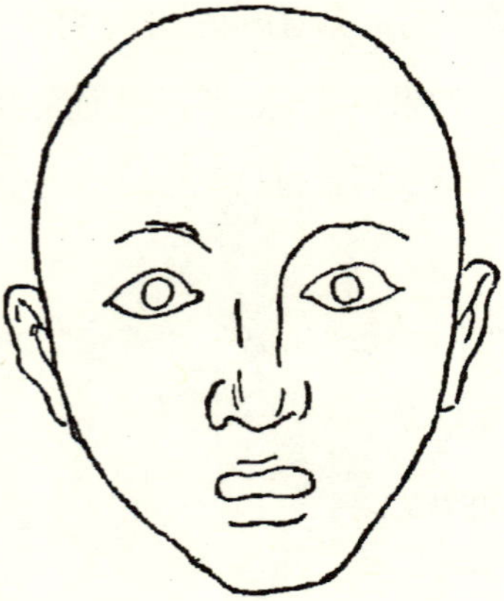

（73）

丙、感叹，如图 74。

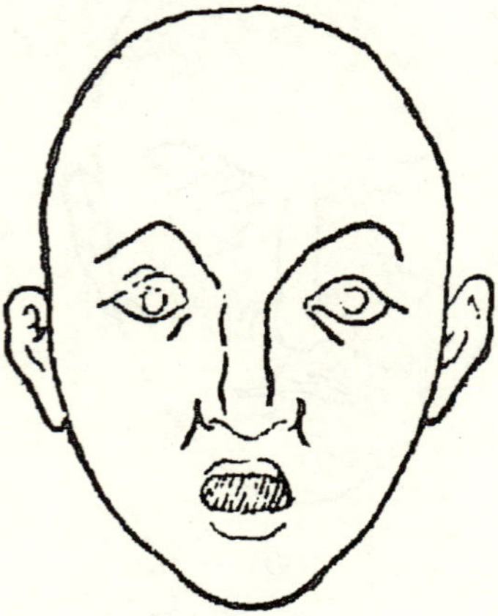

（74）

丁、**热心**，如图 75。

（75）

戊、**希望**，如图 76。

（76）

（十一）凡是“不快”，“悲哀”，“痛苦”的表情，脸上肌筋的动作，都是向下的。

甲、**伤心**，如图 77。

（77）

乙、**忧愁**，如图 78。

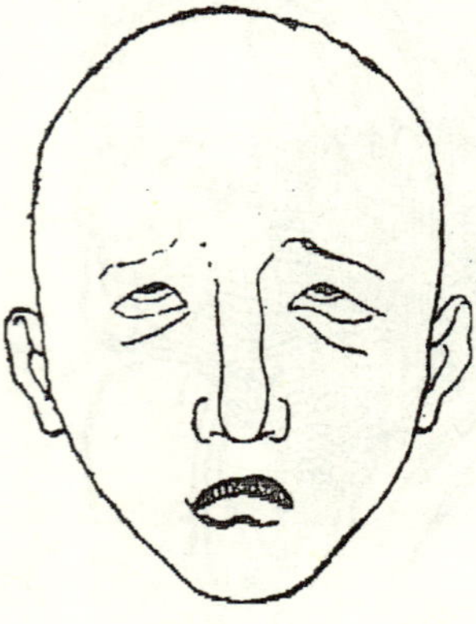

（78）

丙、**抑郁**，如图 79。

（79）

丁、**哭泣**，如图 80。

（80）

戊、悲哀，如图 81。

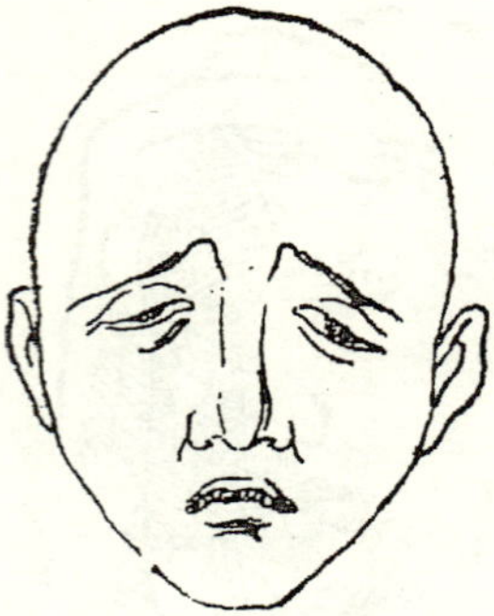

（81）

（十二）在情感剧烈的时候，脸上的纹路，便失去它的和谐性，而显出了冲突、丑恶的形状。肌筋动作，一部分向上，一部分向下，一部分向左右，牵扭而不调和的。

甲、笑，如图 82；

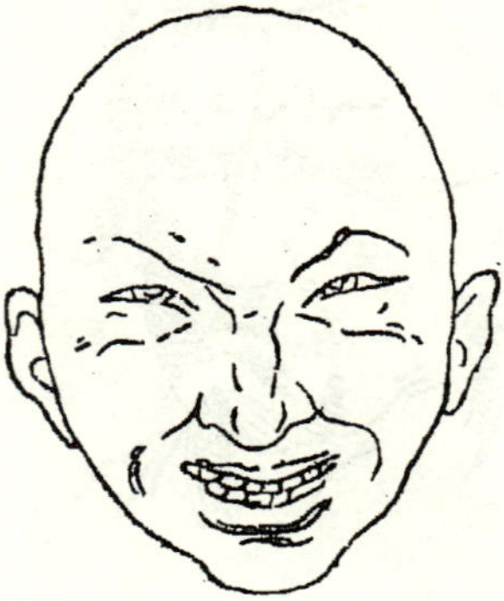

（82）

又、狂笑，如图 83。

（83）

乙、十分愁苦，如图 84。

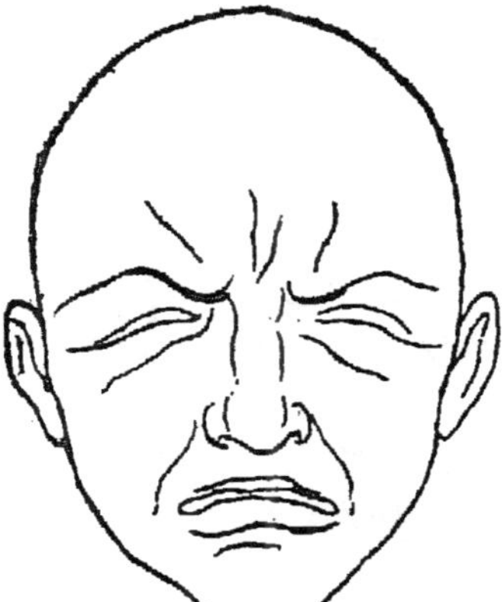

（84）

丙、绝望，如图 85。

（85）

丁、惊讶与怕惧，如图 86；

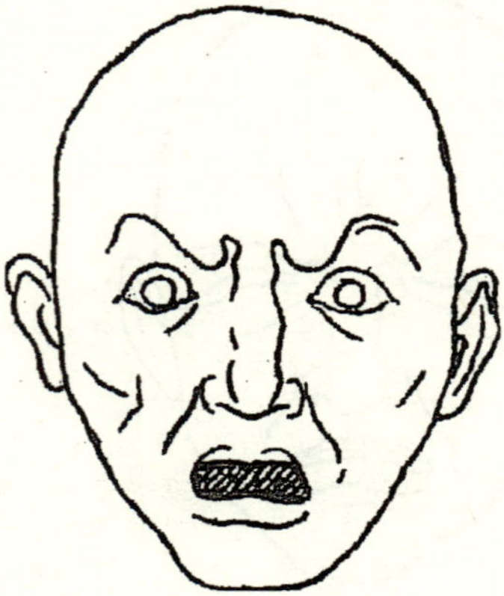

（86）

又、愤怒与怕惧，如图 87。

（87）

戊、身体与精神的痛苦，如图 88；

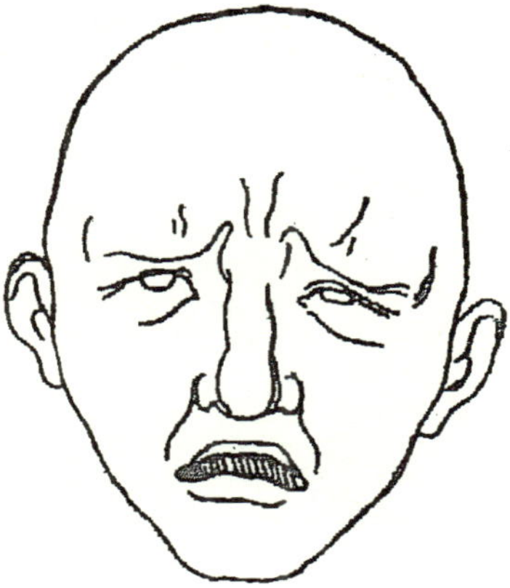

（88）

又、痛苦的程度，逐渐增加，如图 89~93；

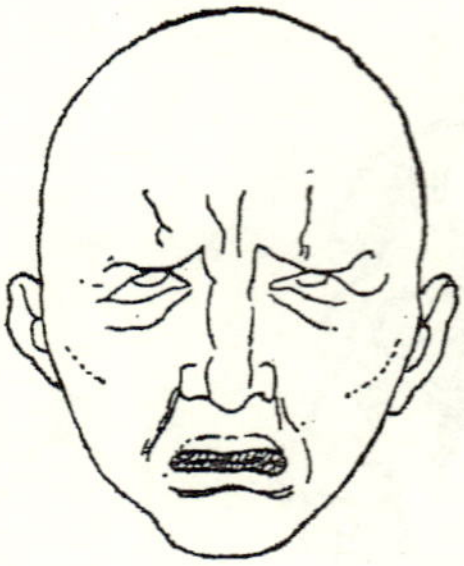

（89）

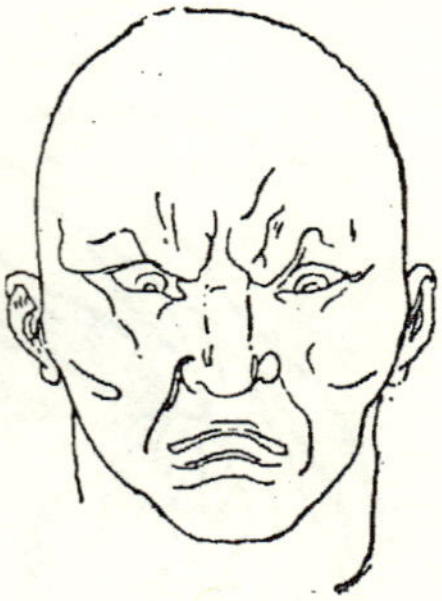

（90）

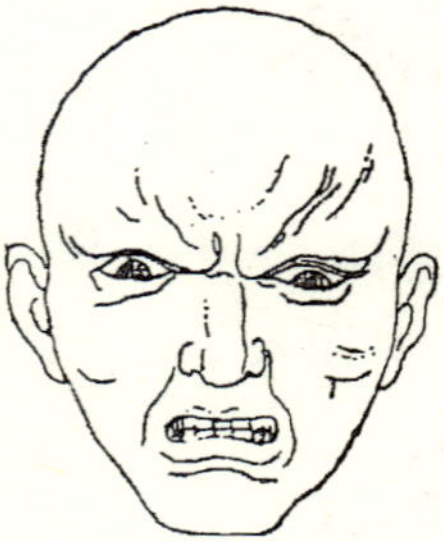

（91）

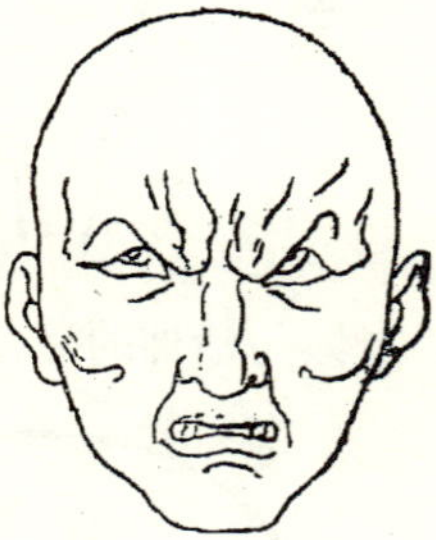

（92）

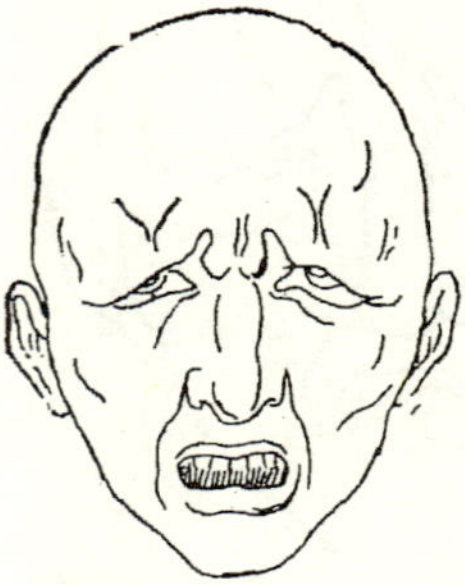

（93）

又、**不可耐的痛苦**，如图 94。

（94）

己、**十分愤怒**，如图 95；

（95）

又、十分愤怒，而强自抑制，如图 96。

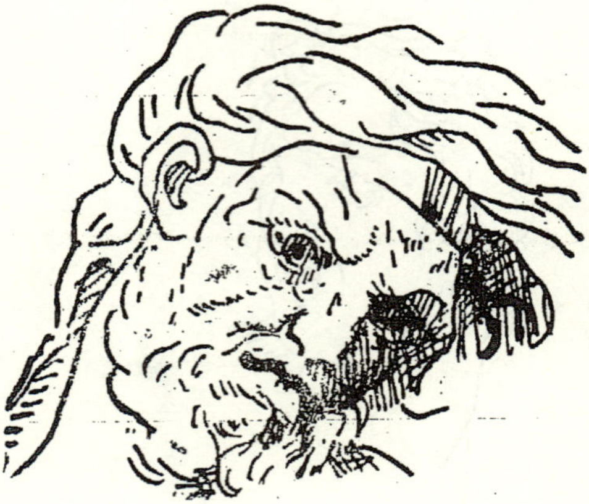

（96）

庚、恐怖，如图 97；

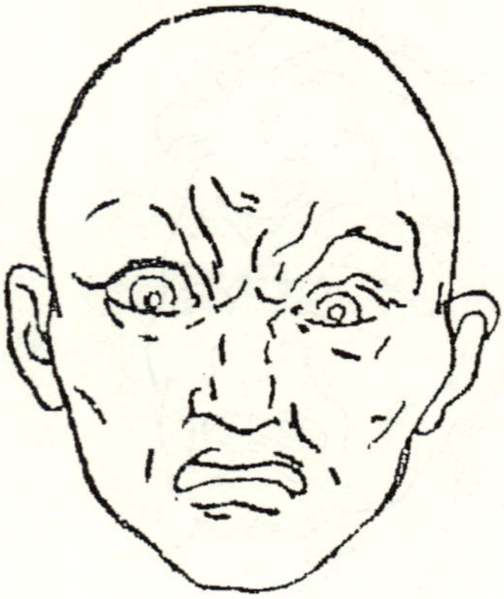

（97）

又、**十分恐怖**，如图 98、99；

（98）

（99）

又、**恐怖而能自制**的，如图 100。

（100）

辛、嫉妒，如图 101。

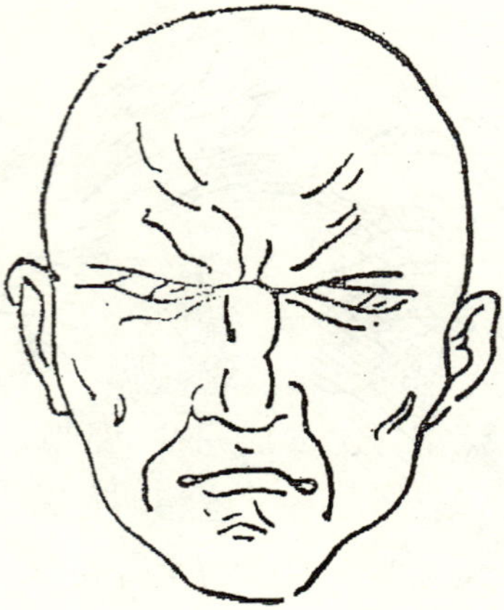

（101）

壬、憎恨，如图 102。

（102）

癸、嫉视与愤怒，如图 103。

（103）

眼与嘴

面部表情，最重要的是眼与嘴。眼的可以显露心事，许多人已经知道的了。昔人有云：“胸中正，则眸子瞭焉；胸中不正，则眸子眊焉。”至于嘴的表达情感，也许还有很多人不晓得它的重要。但是，嘴是决定整个脸面的姿势的。如果嘴的动作不合式，面部表情，决计不会合式的；甚而即使眉眼都做对了，而面部的表情，仍是不会恰到好处的，凡是擅长以面部表现内性的人，都懂得眼与嘴合作的必要。

嘴的表情

（十三）自然状态——两唇相合，惟不紧闭，如图104。

（104）

（十四）口角弯向上的，是“快乐”的表情。

甲、欲笑未笑——两唇相合，口角稍起，如图105。

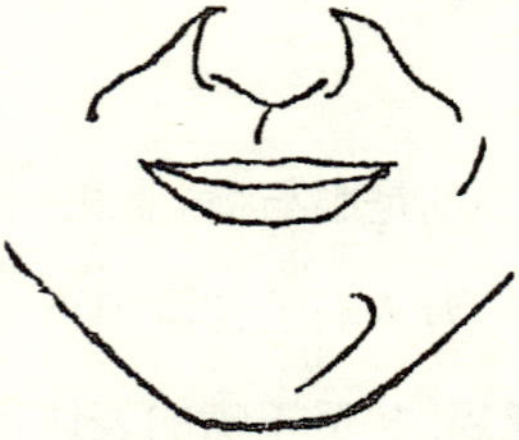

（105）

乙、微笑——两唇相合，口角弯起，如图106。

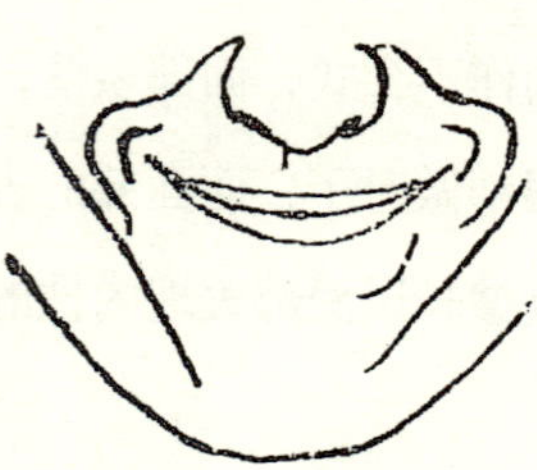

（106）

丙、**卖弄风情，或取悦于人**——微笑的姿势，但唇合而伸前，如图 107。

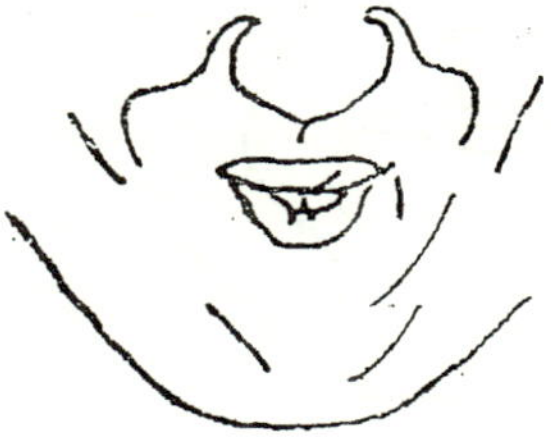

（107）

丁、**善意的**或“好玩的”**责备**——同前，但两唇不十分伸出，如图 108。

（108）

（十五）**不快，不愿**——努着嘴唇，如图 109。

（109）

（十六）**意志坚决**——两唇并紧，如图 110。

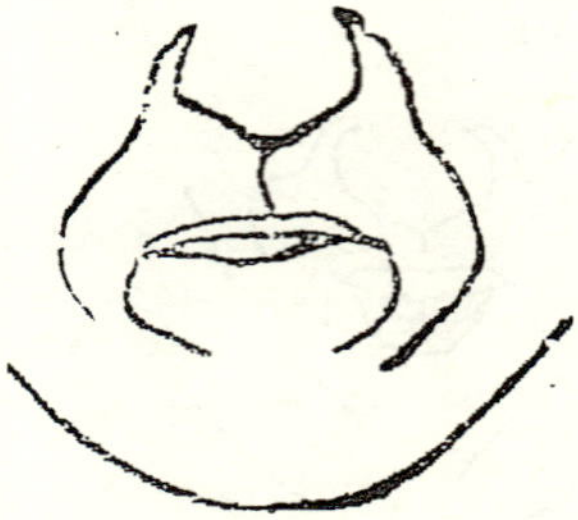

（110）

（十七）**含怒**——两唇并紧而缩入，如图 111。

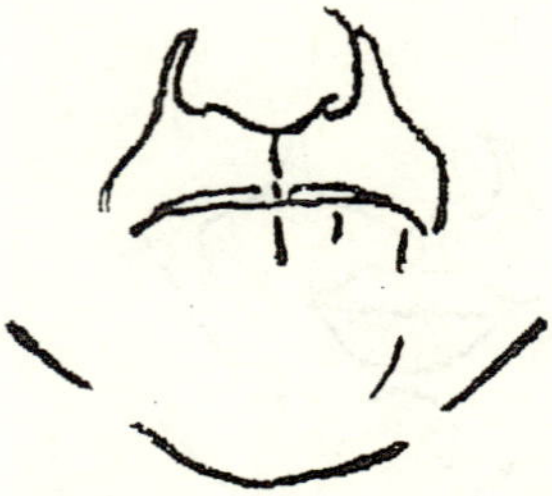

（111）

（十八）**不屑**——两唇并紧，下唇伸出，如图 112。

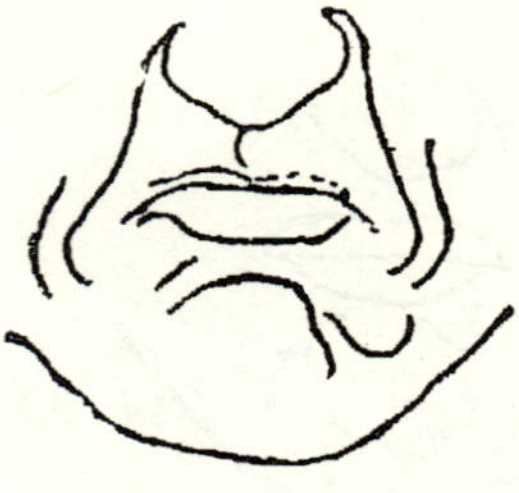

（112）

（十九）“他一定在欺骗我！”唇并紧，一端口角微向下，如图 113。

（113）

（二十）“等我来冤他一下！”唇并紧，一端口角向上，如图 114。

（114）

（廿一）恶意的冷笑——唇并紧，一端口角向下，如图 115。

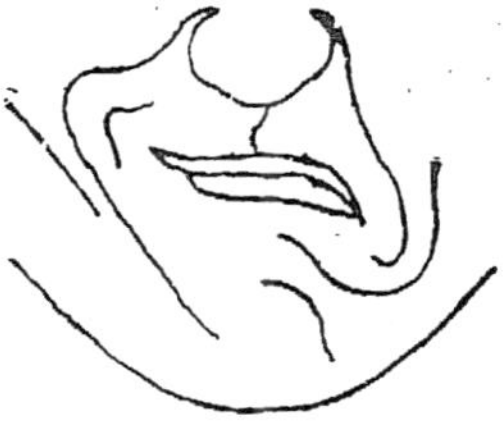

（115）

（廿二）**固执，拼命，困兽之斗**——唇并紧，口角两端皆向下，如图 116。

（116）

（廿三）**沮丧失望，精神痛苦**——唇微启，口角两端皆向下，如图 117；

（117）

又、**极端失望**——同前，头愈俯，如图 118；

（118）

又、**屡次挣扎而屡次失败的悲痛**——唇与口角同前，脸上多竖的纹路，如图 119。

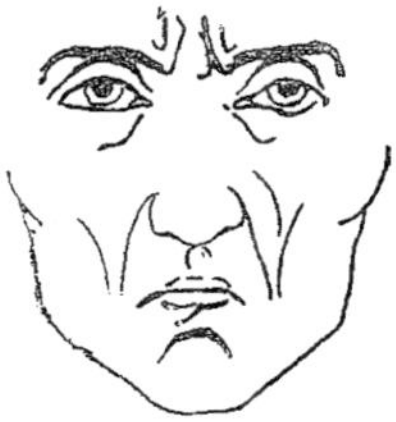

（119）

（廿四）**暴怒**——唇启，微露齿，下巴伸出，如图 120；

（120）

又、**充满了敌意**——下巴更出，如图 121；

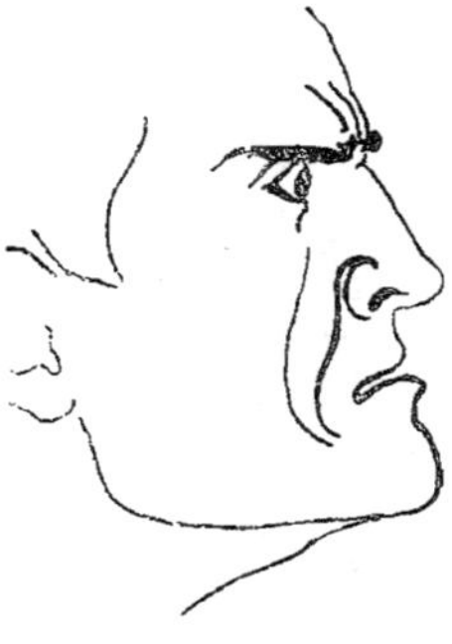

（121）

又、怨毒之甚，欲得而甘心——下巴伸出，齿更多，如图 122。

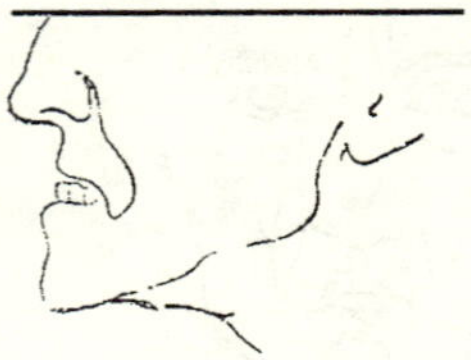

（122）

（廿五）残酷，愤恨，有报复之心——下巴伸出，咬上唇，如图 123；

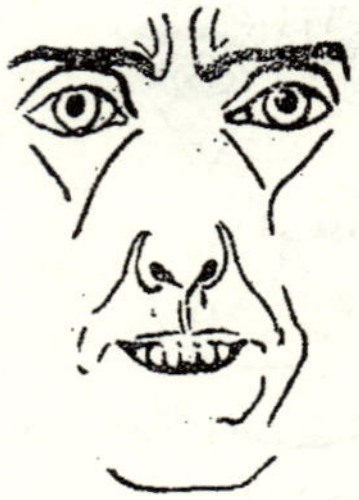

（123）

但，(注意！)下巴不十分伸出。咬上唇，为“转念”，“玄想”等的表情，如图 124。

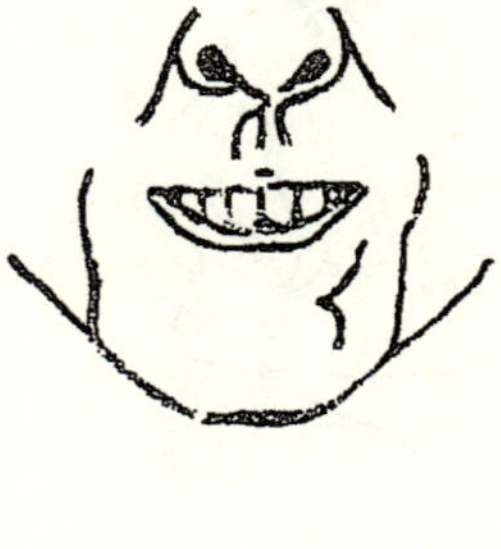

（124）

（廿六）**失望，懊悔**——口角两端向下，咬下唇，如图 125；

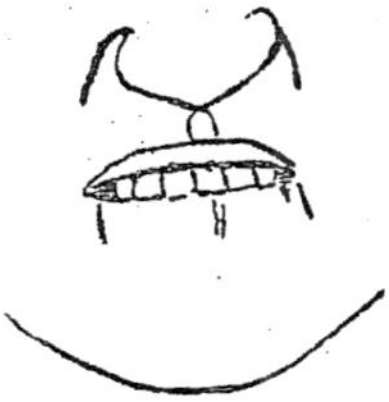

（125）

又、**意外之喜**——口角两端向上（即微笑），咬下唇；如图 126；

（126）

又、“这才真是糟糕！”——口角稍向下（差不多是平的），咬下唇，如图 127。

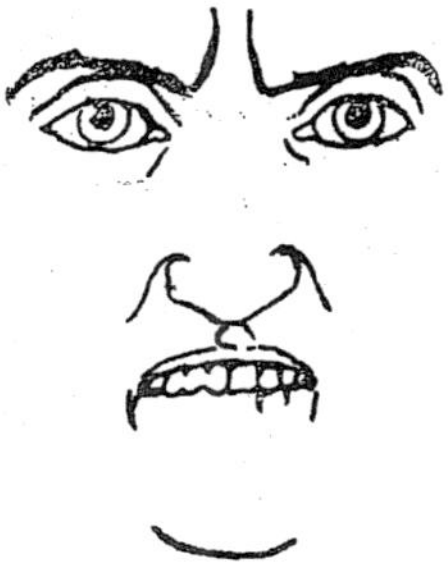

（127）

（廿七）爱情——两唇微启，口角自然，如图128。

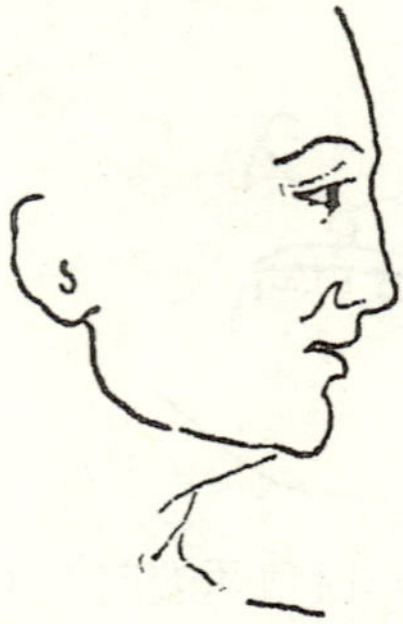

（128）

（廿八）呆住，发傻——张口，如图129。

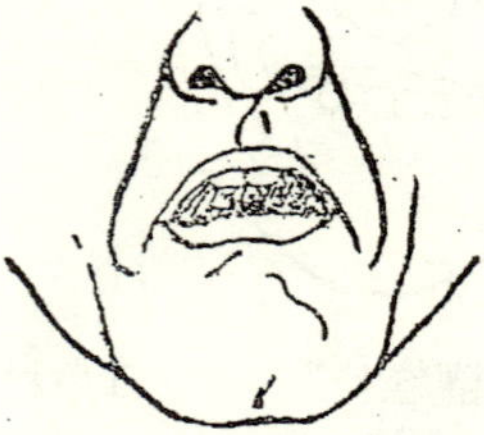

（129）

（廿九）意欲害人，兽欲——口半启，上唇盖下唇，如图130。

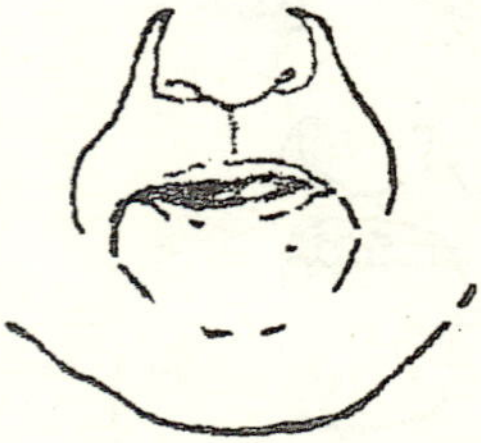

（130）

（三十）**侮慢**——口半启。两端口角皆向下，下唇略包上唇，如图 131；

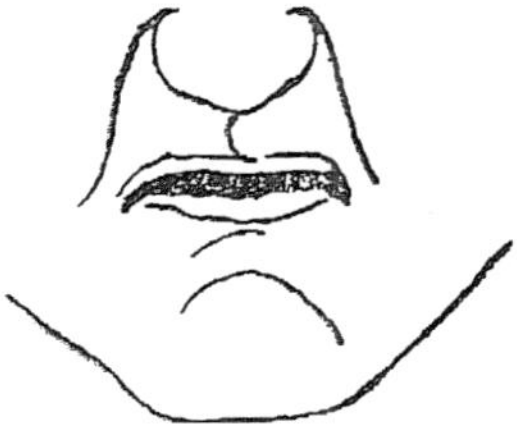

（131）

又、**猜疑，敌视**——口启更大，余同前，如图 132；

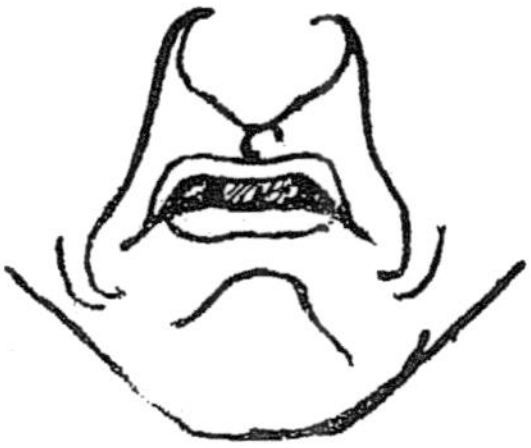

（132）

又、**狂笑**——张开大口，露上下齿，如图 133。

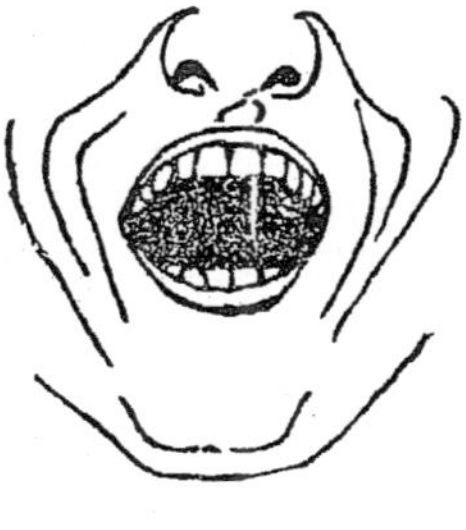

（133）

颚的表情

下颚的动作，与口唇不能分离的；颚没有动作，口唇便不能有动作。但如果能特别留意下颚自身的表情，可以使得所表现的意义，格外清楚。现做表说明。

下颚的动作	表示的情感
下颚抬起，并向前，使下唇伸出一段	抵抗
下颚抬起，使嘴唇并紧	威权
下颚不用力，随唇上下	安静
头垂下，口微张	犹疑
头垂下，口张开较大	惊讶
下头完全放松，即无力的垂下，使口大张	沮丧
下头缩进，使上唇伸出	胆怯

眼的动作

眼的动作，应当分为三部，即眼珠的、眼皮的和眉毛的。这里先讲眼珠的。

眼的动作	表示的情感
向人注视	注意，或引人注意自己
瞪眼视人	克服他人
眼光坚定	有把握
眼光柔和	爱情
活动有神采	高兴，欢迎
柔化无力	哀怜

续表

模糊，且微闭	愁苦
闪露凶光	敌意，大怒
向上动	快活，有希望
向下动	羞怯
打量人	鄙夷，恨
眼不安定	耽重忧，不放心，焦急
眼珠旋转不停	（避他人的眼光）虚心掩饰
常向两侧溜眼	伶俐，聪明
斜睨	疑心，不信托，不喜人

眼皮的表情

容易动作的，当然是上眼皮；但下眼皮也可以有动作。这个须要长期的练习便了。

（卅一）**自然状态**——一个人醒时的样子，眼皮不张大，亦不闭合，如图134。

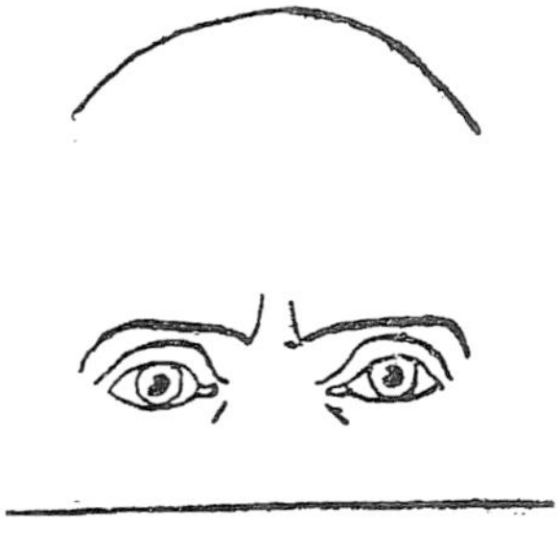

（134）

（卅二）**注意，研究，事情严重**——眼光固定，眼皮微开而用力，如图135。

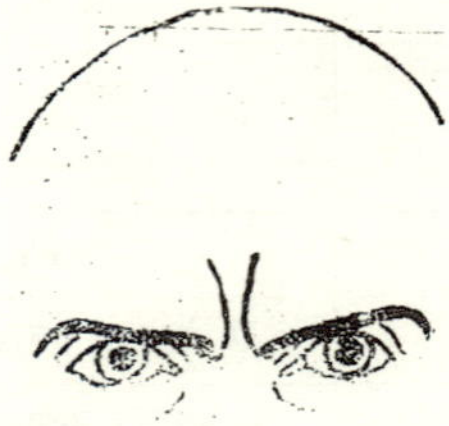

（135）

（卅三）**疑惑，委决不下，深思**——眼光固定，眼皮半闭而用力，如图136。

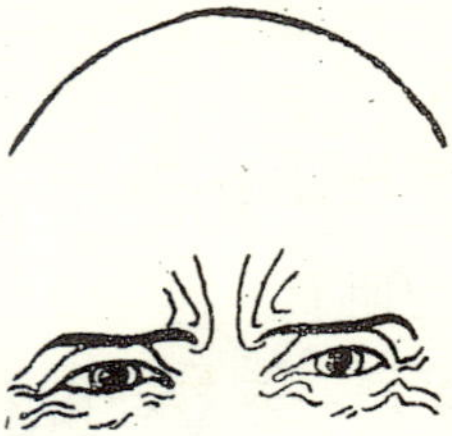

（136）

（卅四）“我早就晓得他是不可靠的了”，“我不相信这件事”，——一只眼半闭，如图137。

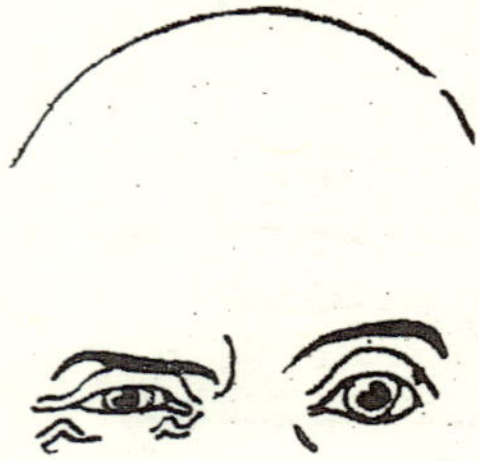

（137）

（卅五）“有危险”，“你自己留神些，你明白了么”——一只眼全闭（须做连眨的动作），如图 138。

（138）

（卅六）**担着心事**——眼皮抬起，眼珠睨一边，如图 139。

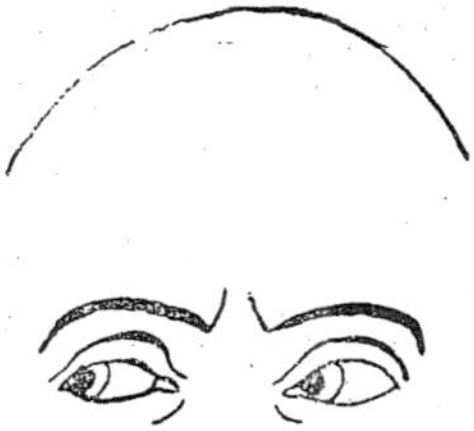

（139）

（卅七）**存心冤人，作伪**——眼珠睨一边，两眼半闭，如图 140。

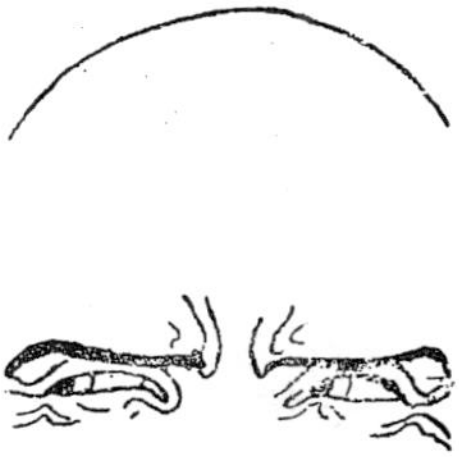

（140）

（卅八）眼皮无力而垂下，为疲倦，和善，顺从等类的表情；垂下而至全闭时，为病，或睡眠，或女子爱男子接吻时表示肯从。如图 141。

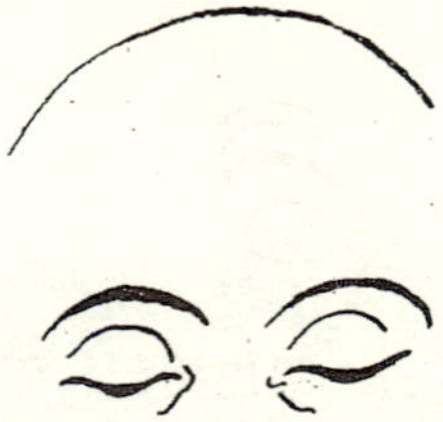

（141）

（卅九）“啊，天啊！”眼皮抬起，眼珠向上，如图 142。

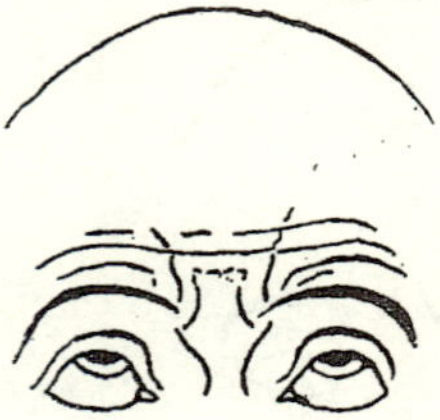

（142）

（四十）诧异，惊骇——眼眶张大；十分恐骇——眼眶张大，四周露眼白。如图 143。

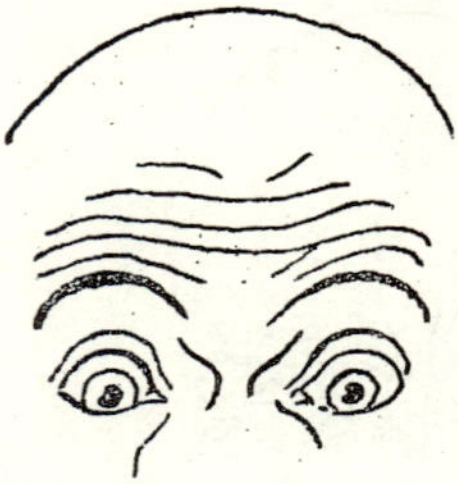

（143）

眉的动作

眉毛的动作，不可太少，不可太多，更不可太乱。演员可以将两边的眉毛，一致地动；也可以将两边的眉毛，个别地动。而在做滑稽表情的时候，乃是将两边的眉毛，轮替的动。现在做表说明如下。

眉的动作	表示的情感
眉毛抬起	有智力；快乐，希望，惊愕
拱成弧形	疑惑，惊讶，恐惧；或羡慕，或发笑
眉毛压低	权威，或忧愁
双眉皱紧	愠怒，或其他坚强的情绪
眉心皱紧而压低	大怒
眉心皱紧而抬起	嫉妒，或失望
像是无力而垂下的样子	软弱，丧气

眉的动作与额上的纹路

额上的纹路，当然也可以表示种种的情感。但是纹路的显出，是眉毛动作的结果，两者是有联带关系的。

（四十一）前额显露横的纹路（是眉毛抬起的结果），是**快乐，欣羡，祈祷**等类的表情，如图 144；

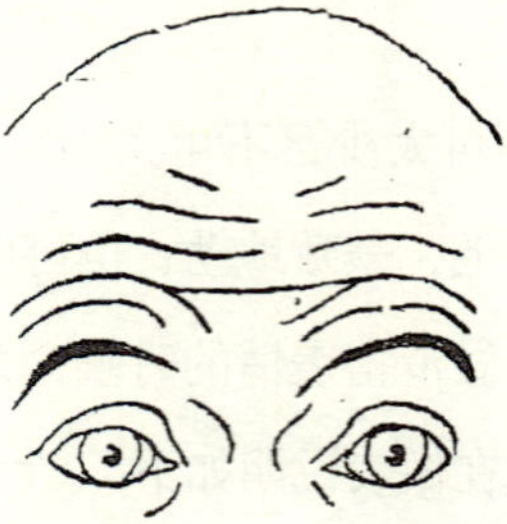

（144）

又、更深的横的纹路，是**十分喜悦**或**惊惧**的表情，如图 145。

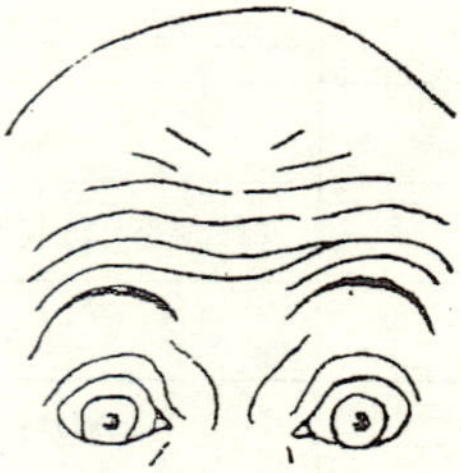

（145）

（四十二）前额光平，全无纹路（是眉毛压低的结果），是**坚决**，**庄重**，**威严**等类的表情，如图 146。

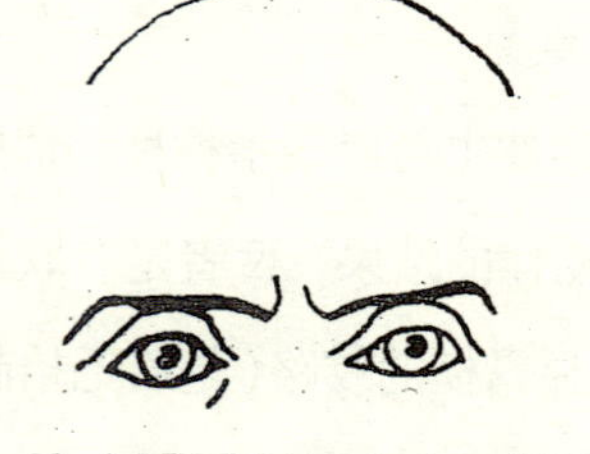

（146）

（四十三）前额眉心，显露竖的纹路（是双眉皱紧的结果），是**内心痛苦的表情**，如图 147。

（147）

（四十四）前额有数种纹路同时存在，乃是**内心有数种情感正在冲突矛盾**的表示，如图 148。

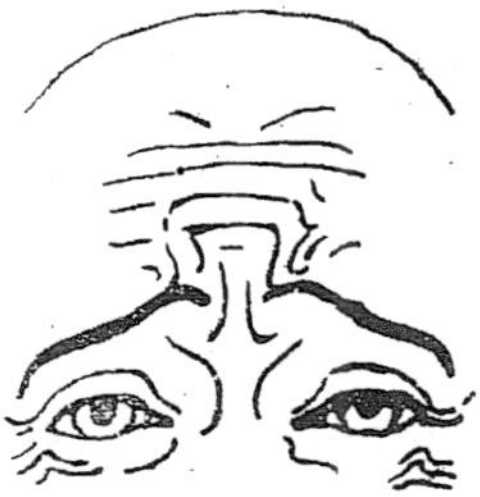

（148）

鼻的动作

鼻子，一般人以为不会动的；但如自己注意一下，即知鼻孔可以张大，鼻头可以抬起，鼻上近眉心处，可以做皱。现做表说明如下。

情感	动作
鄙夷	鼻头上抬，鼻孔收缩
残酷	鼻头放下，鼻孔收缩
兴奋	鼻头上抬，鼻孔张大
畏惧	鼻孔张至无可再大
憎恶	鼻孔或缩或张，鼻上眉心处，皱出横的和竖的纹路
斗狠	鼻孔张大，鼻上皱出横的纹路
忧虑	鼻上眉心处，皱出斜的纹路

整个面部的表情——和善的与蕴而未发的

（四十五）一个久和社会接触的人，大多数的时候，他是不愿将他内蕴的情感，一泻无余地表露出来的。甚而有时候，虽然已很兴奋，而他仍在强用他的理智与愿力，竭力去制服自己。所以我们不妨将情感分作两类，一类是多少受本人的制裁与支配的，一类是热烈至如此程度已经不能为本人所克制的。此刻先讲第一类，从和平的善意的讲起。

甲、**谦逊，胆怯**——主要的动作：头略低，眼下视，眼皮垂下，如图 149。

（149）

乙、**注意，关心**——主要的动作：头伸前，略抬，眼光坚定，如图 150。

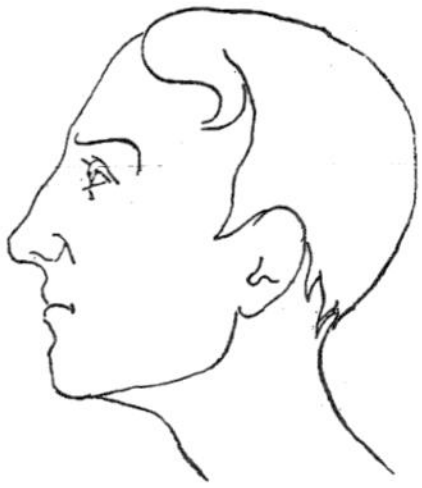

（150）

丙、**和气，顺从，亲密**——主要的动作：头转向对象，眼向人注视，眼皮下垂，略蔽眼瞳，如图 151。

（151）

丁、伪善，矫饰——主要的动作：头微侧，两眼在半闭状态中视人，眉心半皱，但口做微笑，如图152；

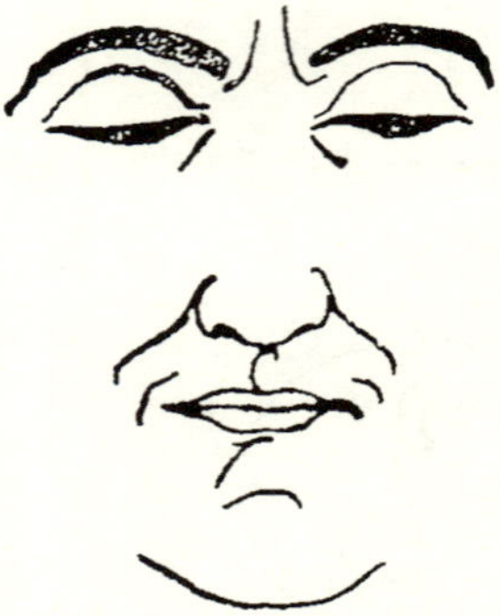

（152）

又、欺骗，奸诈，有毒计——眼皮半合，目斜睨，眉皱，强笑，两颊举起，使眼下有皱纹，如图153；

（153）

又、**冤人骗人以后的得意**——主要的动作：半边面孔笑，所以一颊抬，眼睛变小，如图154。

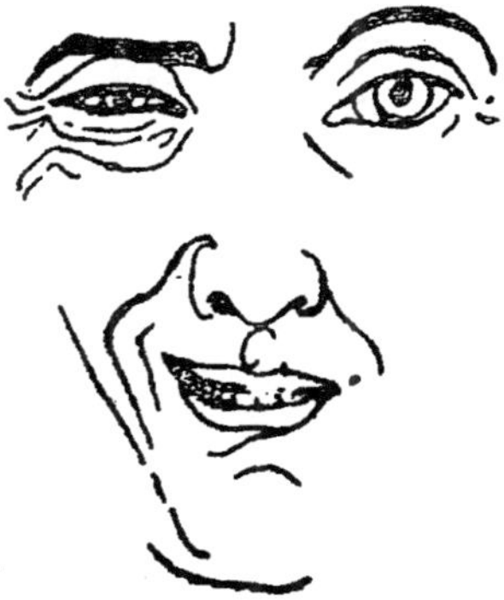

（154）

（戊）**不放心**——主要的动作：头移向对象一面（但不转过去），眼斜睨，是注意倾听的神气，如图155；

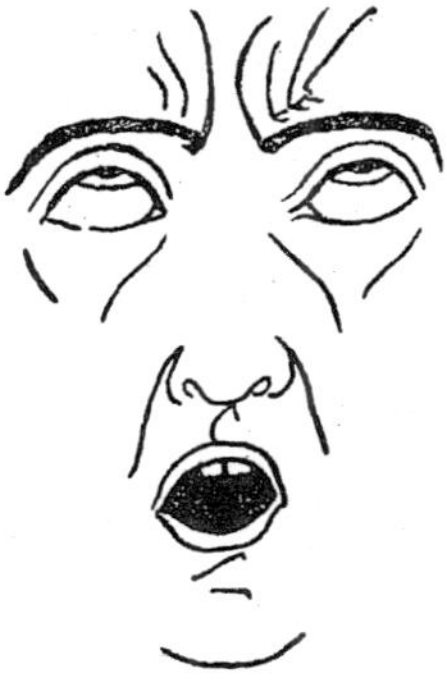

（155）

又、**开始怀疑**——主要的动作：口的一角朝下，而一颊抬起，如图 156；

（156）

又、**感觉到危险**——主要的动作：一眼闭合，一眼睁大，肌筋向下动，嘴皱成圆形，如图 157；

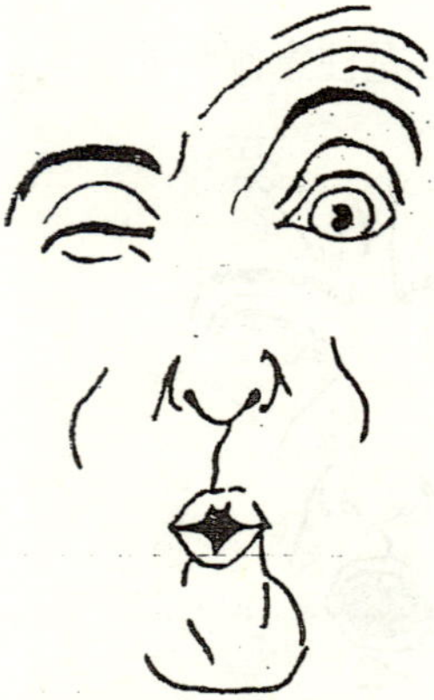

（157）

又、**猜疑，并有不快之意**——主要的动作：两颊抬起，眼半闭，目斜睨，眉皱，口角向下，如图 158。

（158）

（己）未曾说明的不以为然——主要的动作：嘴的一边是微笑，一边口角向下，眼皮微垂，略蔽眼瞳，如图 159；

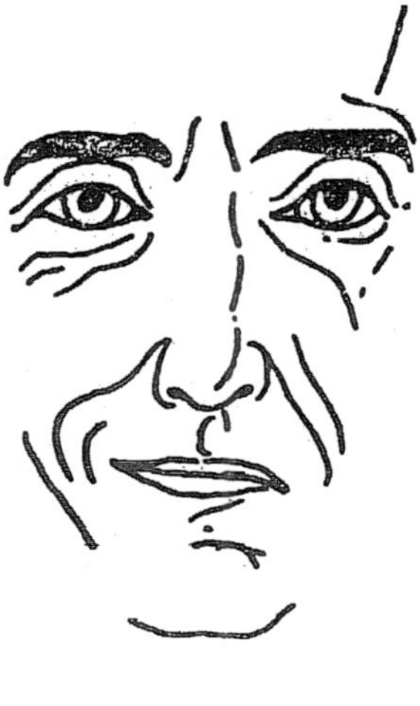

（159）

又、**显然的不以为然**——主要的动作：两颊抬起，眉皱目瞪视，口唇闭合，口角向下，如图160；

（160）

又、**想不到的恶劣**——眉压低，额上有竖纹，目向上视，口张开，如欲惊呼，如图161；

（161）

又、**绝对的厌恶**——头退后，眉皱，眼皮亦缩皱，使眼成半闭，目斜视，鼻抬起，鼻孔张大，口的两角向下，如图 162、163。

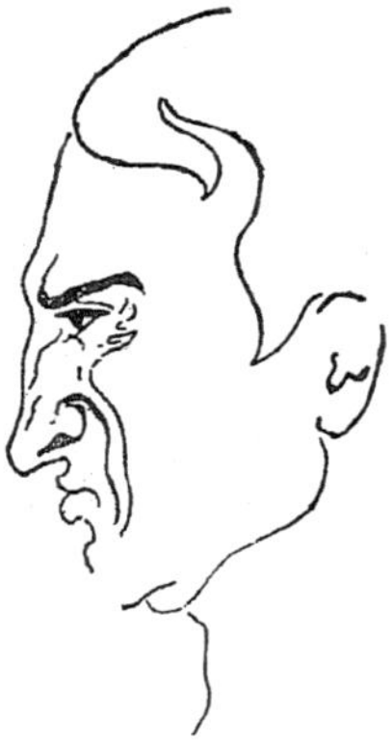

（162）

（163）

（庚）**尊严，坚决，自信**——主要的动作：头略昂，眉压低，目直视，如图 164；

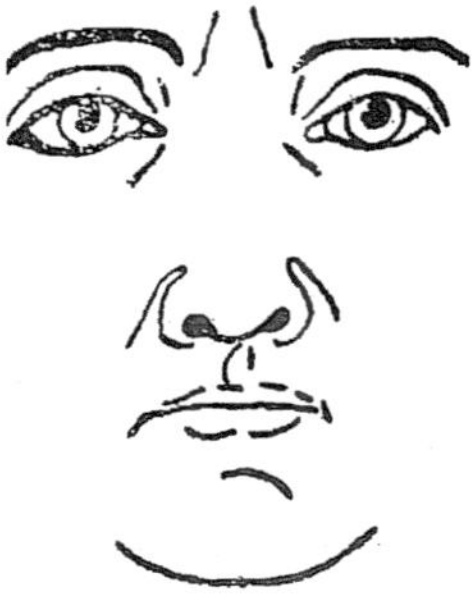

（164）

又、**使用权威，骄傲，不逊**——主要的动作：头甚昂，眉压低而略皱，下唇微伸出，如图 165；

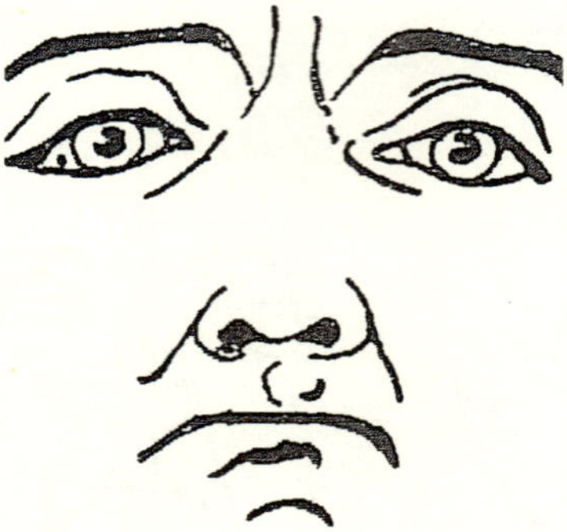

（165）

又、**意志坚决，不顾困难**——主要的动作：头正直，目直视，眼光坚定，颚抬起，口紧闭，如图 166。

（166）

（辛）**危险中的挣扎**——主要的动作：颚垂下，眼张大（惊讶），眉紧皱（努力），如图167。

（167）

（壬）**不肯屈服**——主要的动作：头别转，并昂起，如图168。

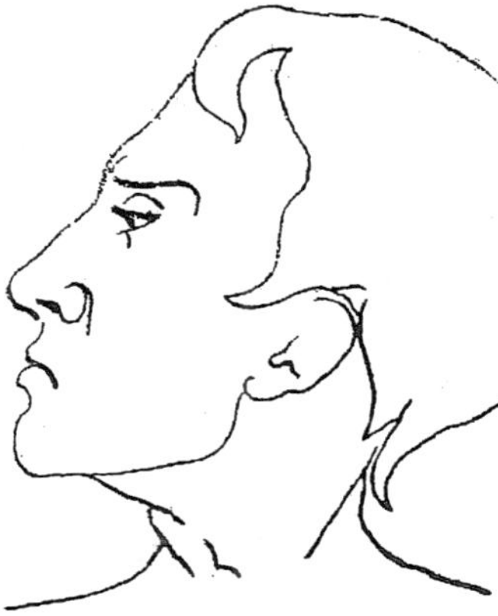

（168）

整个面部的表情——被动的，不能自制的

（四十六）一个人到兴奋的时候，情感往往不能自行做主，而好像是有一种外力驱使着它。这和第四十五项所说的恰是相反。前项所说种种，无论流露至何程度，本人仍是做着主宰；无论热烈至如何程度，决不至于一发而不可收拾。但在这里，却像一个人已经被他自己的情感所征服了。

（甲）**被引动，被诱惑**——主要的动作：头伸前，微昂起，上颚放松，眉毛上抬，如图 169；

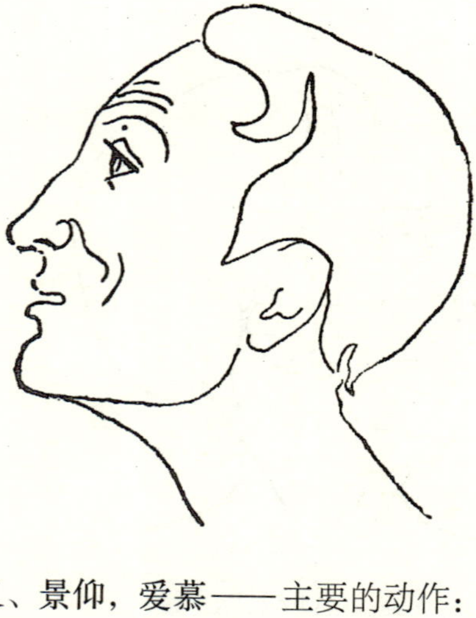

（169）

又、**景仰，爱慕**——主要的动作：头伸前，眉毛上抬，似有笑容，如图 170；

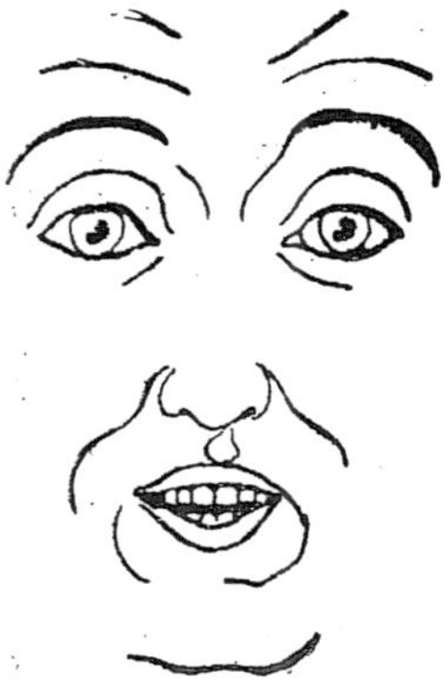

（170）

又、**嗜，欲，意欲占有对方**——主要的动作：头伸前，昂起，眉毛上抬，有微皱（因为坚强的欲是痛苦的）；唇稍启而伸出（要求，诉请，或吻），如图 171。

（171）

（乙）冀得对方的好感或欢心——主要的动作：头倾侧，眉毛上抬，面带微笑，如图172。

（172）

（丙）得意忘形——主要的动作：头昂起，眉毛上抬，将腮膨胀或展开，如图173、174。

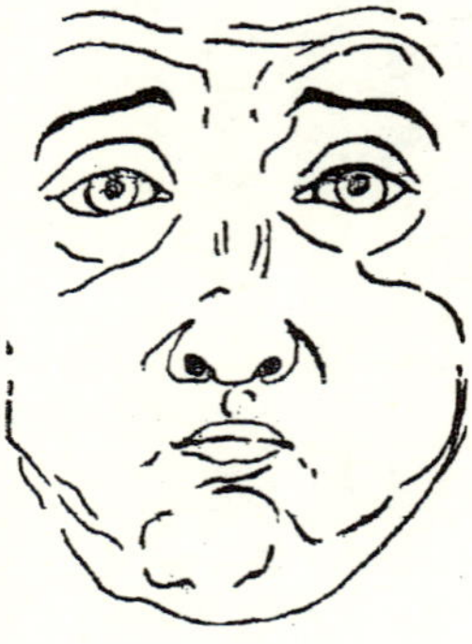

（173）

（174）

（丁）**茫然，呆住了，不知如何才好**——主要的动作：头微昂，肩微耸，眉毛上抬额露横纹，口角下垂，如图 175。

（175）

（戊）**倾倒，心悦诚服**——主要的动作：头正直而移在一边，向前注视，眉毛上抬，微笑，如图 176；

（176）

又、**私心窃喜，未成预期的快乐**——主要的动作：咬住下唇（不敢声张），眉毛上抬，面有笑容，如图 177；

（177）

又、**快乐**——主要的动作：面露笑容，口角向上，眼下皮皱起；眉毛上抬，额上亦皱出纹路；更进一步，即是大笑。如图 178、179。

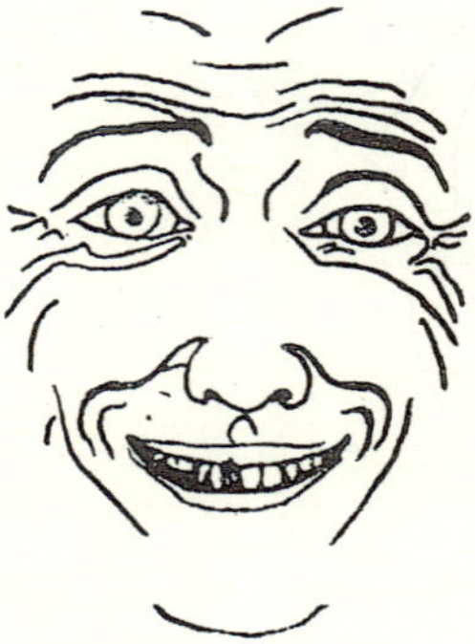

（178）

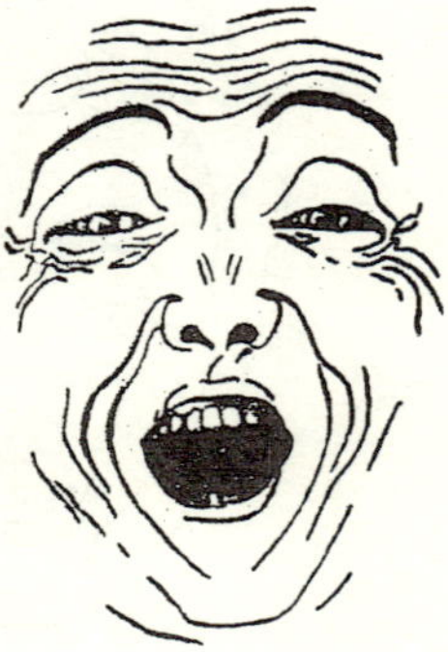

（179）

（己）**乐极，灵的或肉的**——主要的动作：头仰后，上眼皮无力垂下，眉毛上抬，口横启，露齿，如图 180；

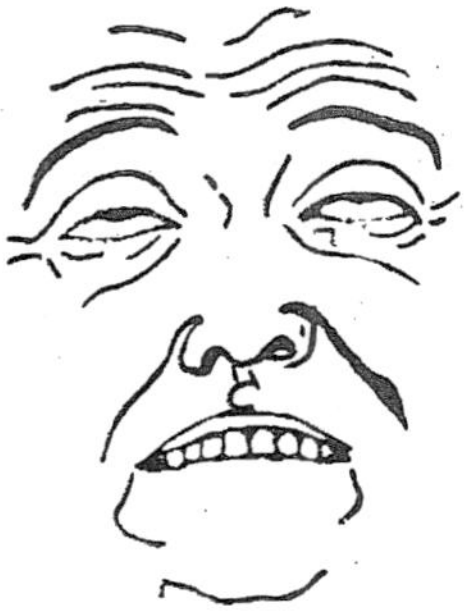

（180）

又、**苦极，灵的或肉的**——主要的动作：同前；惟眉头增添竖的纹路，口角微向下。如图 181。

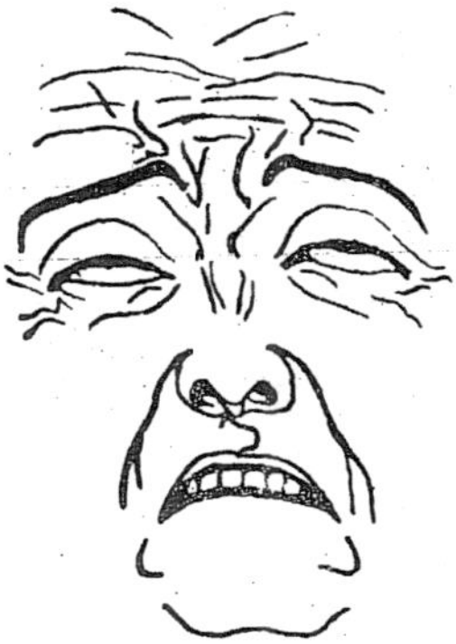

（181）

（注意：这两种感情的极端，所表示的完全相反，而动作相差甚微，表演的时候，须得要十分留心的。）

（庚）**无出息，无志节，无骨气**——主要的动作：眉毛上抬，额多纹路（数遇不幸），上眼皮垂下，下颚以及面部下半的肌筋一齐放松（全无反抗之意），如图 182；

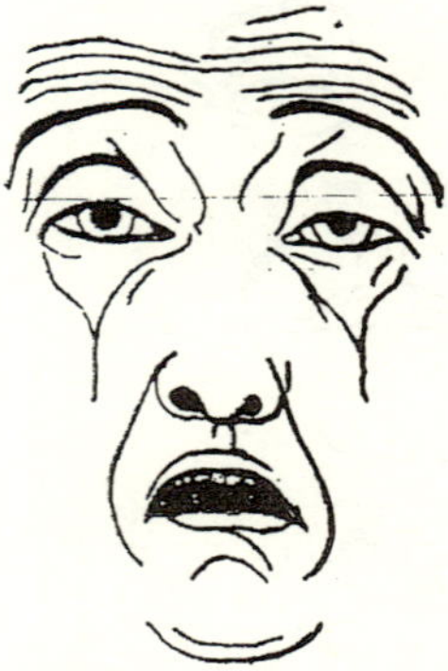

（182）

又、**沮丧，自承失败**——主要的动作：眉头皱紧而上抬，下颚垂下，口角亦向下，如图 183；

（183）

又、**惭愤，悔恨，自怨自艾**——主要的动作：头前俯，肩微耸，眉皱起而压低，额有横紧纹路，唇合，口角向下，如图 184；

（184）

又、**哀求，乞饶**——主要的动作：低头，眉皱起上抬，额有横紧纹路，唇合而伸出，如图 185；

（185）

又、**苦极将哭**——主要的动作：皱眉，两腮收缩，口角甚弯向下（不能自制，即将哭出），如图 186；

（186）

又、**哭出**——主要的动作：皱眉，两腮及面部下半的肌筋全收缩，眼更小，口半启，如图 187；

（187）

又、**痛极**——主要的动作：眉毛抬得极高，横的纹路消除了竖的纹路，眼睛睁大，面部肌筋全收缩，口张开，发出呼喊，两肩耸起，如图 188。

（188）

（辛）**吃惊，但并非不快的**——主要的动作：眉毛上抬，面有半笑，肩亦抬起，如图 189；

（189）

又、**惊呆**——主要的动作：同前；但在十分吃惊的时候，不会再有快感，所以脸上已无笑容，而眼睛睁大，有畏惧的意思，如图 190；

（190）

又、**惊奇以至出神**——主要的动作：头昂起，眉上抬，眼上视，口张开，下颚垂下，如图 191；

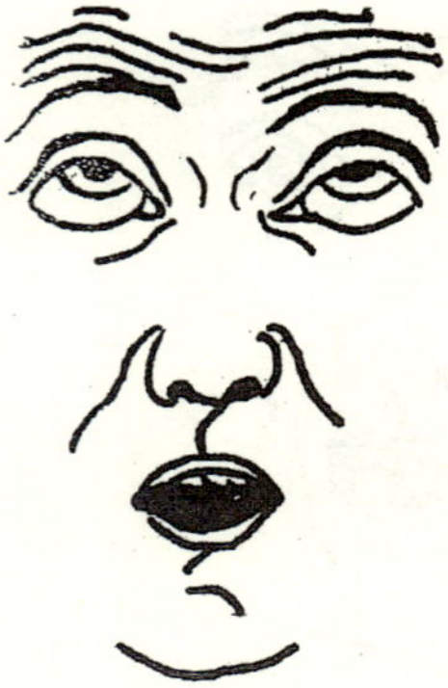

（191）

又、**惊骇**——主要的动作：同图 190 所示，惟眉毛于上抬外并皱起（这是遇见恐怖或危险时的反应），如图 192、193；

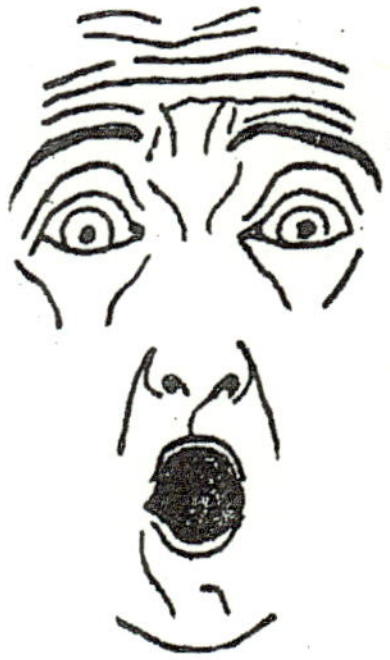

（192）

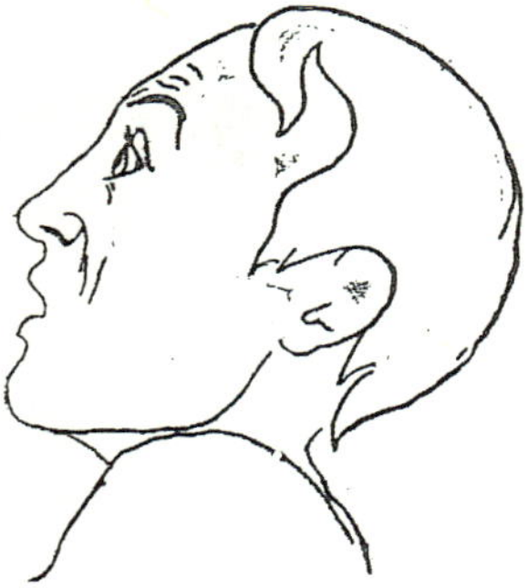

（193）

又、**惊惶失措**——主要的动作：同前；惟头不昂起而俯下，不呆定而转动不停（无目的地乱动）。如图 194。

（194）

（附录）舌的动作

舌头虽也可表情，但是不常用的。第一，凡是舌头可以表现的情感，头面的别的部分都可以替代它；第二，舌头在现代社会习惯里，还是像人体的某一部分一样，人们觉得是不应该给旁人看见的。所以用舌头做表情，即不啻说明这人是下作的、缺乏高尚教育的、非文雅的。

舌的动作	表现的情感
伸出而向下	惊讶，出乎意外，自己晓得不好
口半启，舌微伸	不以为然
以舌舐唇	嗜欲，恨不得一口吞下去

第三章　身体腿脚的动作

腿和脚

腿和脚的表情，可以简单地分作三类：

（一）两足并列在一条线上，或是靠拢，或是离开；所表示的，是“地位低下”，“程度低下”，“不在意”，“随便”等等。

（甲）立直，两手垂下，紧靠身旁，两足并拢，足尖分开（四十五度），是恭敬，**谦逊**，**服从**等类的表情，如图 195。

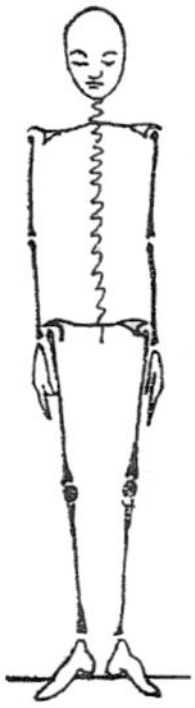

（195）

（乙）两足并列在一条线上，但向两旁分开，身体的重量，分置在两足上，乃是**粗鄙**，**愚蠢**，**无礼貌**，**过惯劳动生活**（劳动者负荷重物是习惯地将两足分开）等类的表情，如图 196。

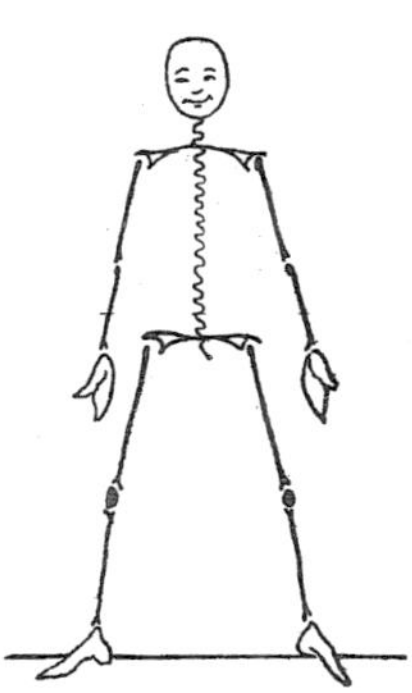

（196）

（丙）同前；而两足分离更远，膝微弯，是**疲倦**，**软弱**，**年老**，**酒醉**（时时怕跌倒）等类的表情。如图197。

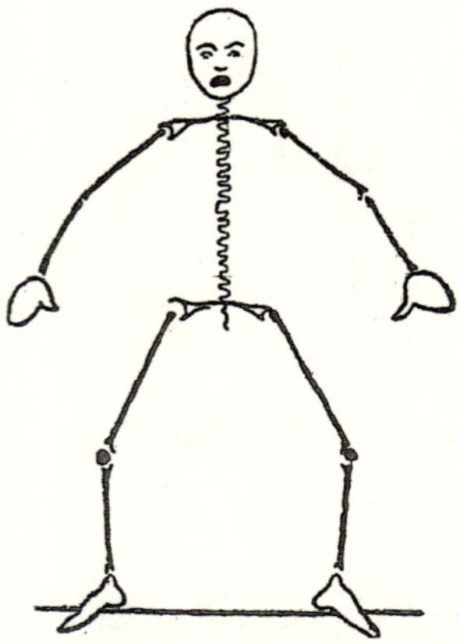

（197）

（二）一足移前，身体亦向前，所表示的是“高兴”，“喜悦”，“愿意”等等。

（甲）两足一前一后，身体向前，将重量移置在前面一只足上，乃是**用心**，**注意**，**活泼**，**兴奋**等类的表情，如图198。

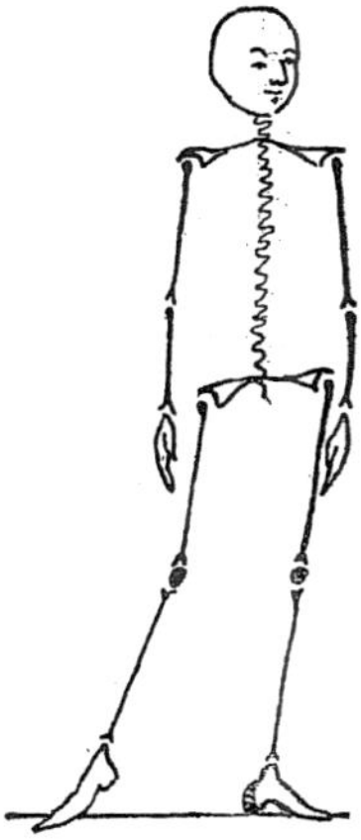

（198）

（乙）踏前一步，重量移置前足，是**欢迎**，**赞许**，**亲热**，**请求**等类的表情，如图 199。

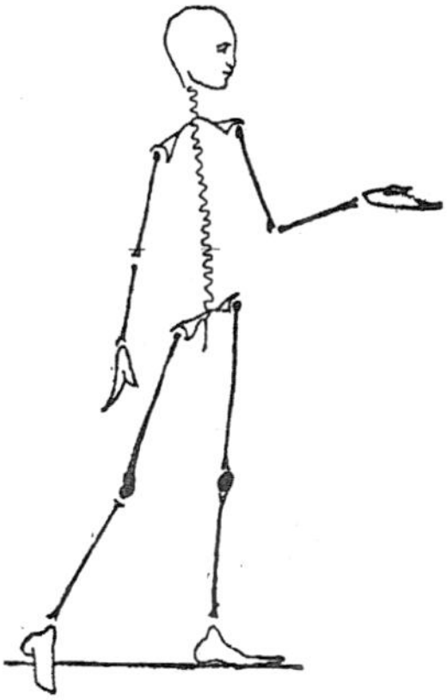

（199）

（丙）踏进一步，前足微屈，后足伸直，重量移置前足，是坚持己意，勇往直前等类的表情，如图 200。

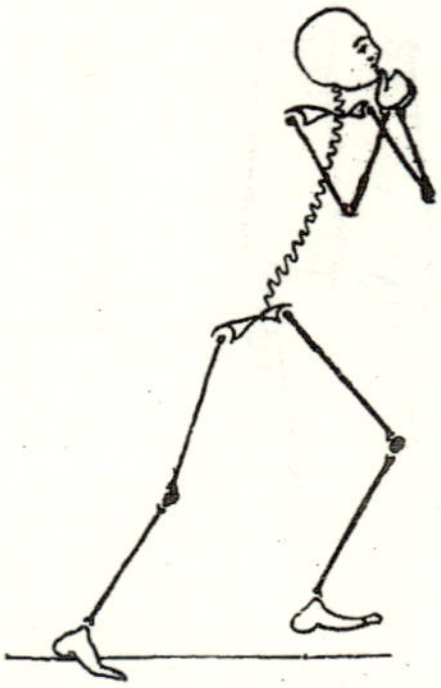

（200）

（三）一足移后，身体亦退后，所表示的，乃是“不快”，“不愿”，“退缩”等等。

（甲）两足一前一后，身体退后，将重量移置在后一足上，乃是谨慎，自重，不放心，消极等类的表情，如图 201。

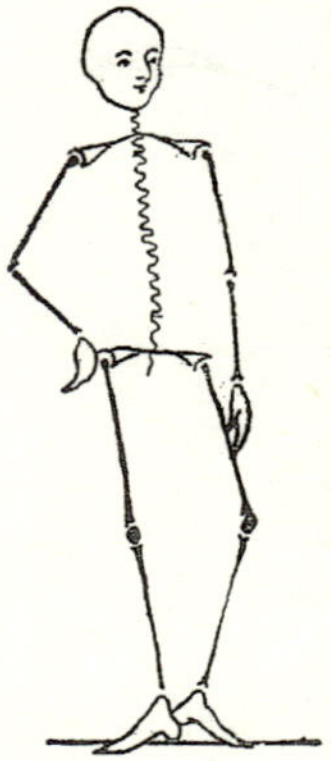

（201）

（乙）退后一步，重量移至后足，乃是诧异，怀疑，不信任，不欢迎等类的表情，如图 202。

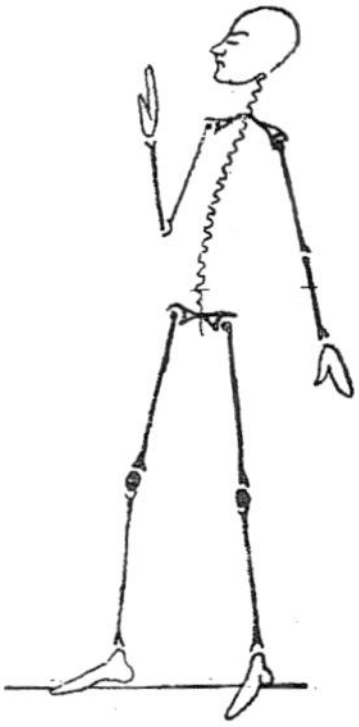

（202）

（丙）退后一大步，重量移至后足，膝微弯，乃是畏惧，恐怖，厌恶等类的表情，如图 203。

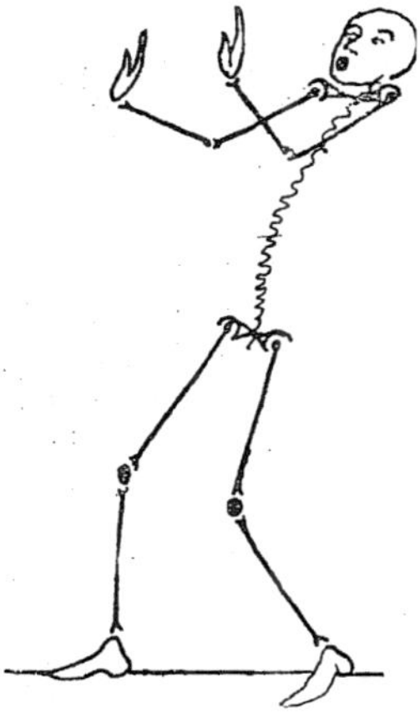

（203）

三个基本态度

除了腿和脚本身有表情，如上面所说之外，它们的姿势，又是其他部分的表情的准备。所谓“要做表情，预先得摆架”，即是那演员在他“动作”他的指手肩臂头脸嘴眼之前，他先得将他的身体摆成适当的样子，将他身体的重量以及两足的地位布置好。这个决定了那以后动作的意义。这是基本态度。通常分作三种：

（一）**奋发**——立的时候，一足稍前，将身体的重量，全都移置在那前面一足的**脚盘**上［注：脚盘（ball of the foot）是一只脚的前部最宽阔处］，而让那另外一足，不用力地摆放在后面。

（二）**随便**——立的时候，两足平排，但稍为分离，将身体的重量，平均地分置在两足的**脚跟**上。

（三）**消极**——立的时候，一足稍后，将身体重量，全都移置在后面一足的**脚心**上［注：脚心 (arch of the foot) 是脚的中段拱起的地方］，而让那另外一足，不用力地摆放在前面。

特别动作

此外，还有两种特别的动作，单独的做着，未必能给人看清楚。但如和身体别部动作在一起，意义便非常明显了。（一）两足一前一后，重量就在两足上，腿里用劲，同时倘如再一瞪目握拳，人家就晓得这是“**敌对**”，“**斗争**”，“**预备打架**”；（二）两足一前一后，重量**忽而移在前足，忽而又移后足**，同时倘如再将身体前后摇动，人家就晓得这是“**踌躇**”，“**狐疑**”，“**欲行又止**”了。

膝的动作

独立地，膝也可以表示情感，共有六种，现在可以简单地做表说明。

膝的动作	表示的情感
膝弯，膝盖向外	自负
两膝向左右摇之不已	好奇心
屈两膝	敬崇
屈一膝（求爱时不是常用的么）	温柔
膝弯，膝盖向内，相对	胆怯
膝弯，膝盖向前	激烈

跪，或屈膝的方法

两膝如果同时下跪，身体的重量便没有东西支持，在某段过程中，动作必然显得忙急，形状是可笑的，尤其是两膝同时触地作声！所以这个只可在表演滑稽的时候使用。优雅的庄严的跪法，应把动作分成三步，如图 204：（一）将一足移前，将身体的重量，全都移在前足上；（二）屈后腿跪下；（三）将前腿放下，将身体重量分匀（如果只屈一膝，当然在那后腿触地的时候，即可将身体的重量分匀）。跪了而要起立的时候，动作刚是相反，先将重量移在一条腿上，将那只不负体重的腿一起踏在地上；再将重量移在已经踏地的腿上，再行立起。

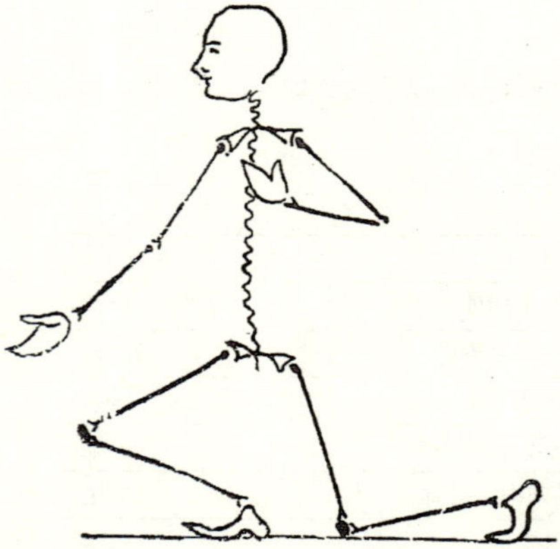

（204）

拾物的姿势

俯身拾物，应当用屈一膝跪的姿势，如图 205。如果两膝同时屈曲，如图 206，形状是非常难看的，尤其是在女子。

（205）

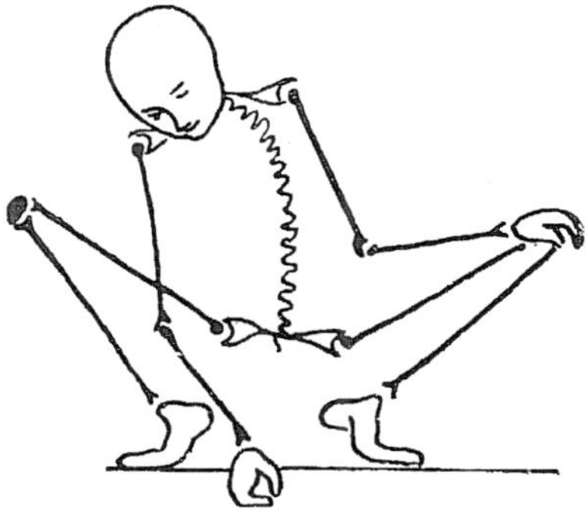

（206）

脚的动作

脚的动作	表示的情感
全足用劲	尊严，固执
无力	软弱，胆怯
脚端用劲	勇敢，热欲
脚跟用劲	厌恶，畏惧
顿足	威权，暴怒
忽然一抬	惊讶，失措
轻敲	不耐，愠怒
搓磨	被窘，转念

坐的姿势

平常坐下的时候，应当是自然而尊严的：先将一足移后，稍微伸至椅下，将身体的重量，移在这足上，然后缓缓坐下。起立的动作，刚和这个相反。**平常坐着**的时候，胸须挺，头须正；只坐椅子前半而不可“团缩”在椅内（这样，不但动作困难，起立不便，而且发音亦受阻碍）；两足稍有前后，稍为分开，但不可分得太开。如果要表示傲慢或高贵，一手按膝，一手按大腿的中段（大拇指在腿的外面，其余手指在两盘之间）；表示冷淡或藐视，两手都可按腿；表示诚恳或怒意，两手均应按膝而身体朝前。

惊慌，眼朝下视，很快的坐下。

羞惭，眼朝下视，很慢的坐下。

恭敬，身直，坐在椅子前半，两膝并摆。

怠惰，身歪，靠倒椅内（坐得甚后）。

过分恭敬（有时成为滑稽），坐在椅子边上，如图207。

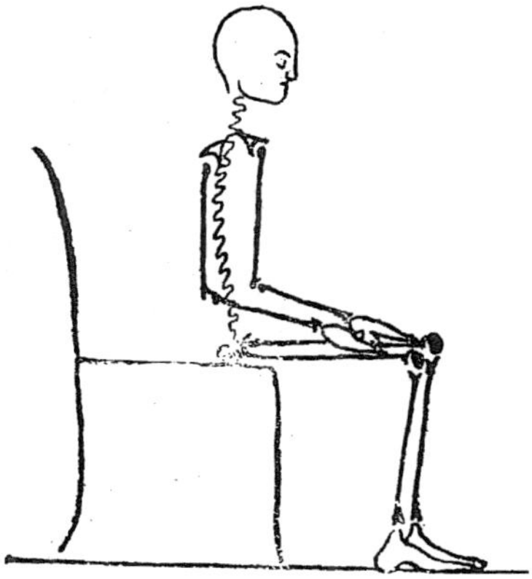

（207）

粗野或无礼，身斜，两腿拍开，如图208。

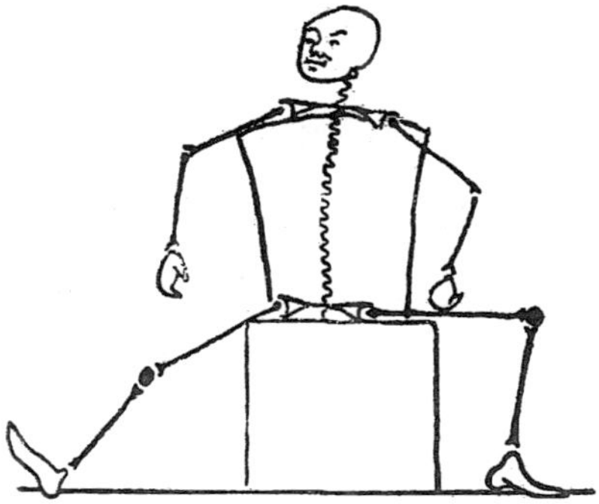

（208）

身的动作

这里所讲的是手臂腿脚以外的，即腰背胸腹肌筋的动作。种类虽不多，但意义是清楚的。譬如在跳舞场中，隔座一位女子，微微的将腰扭动（即上升与下降），我们就晓得她是坐得太久疲倦了，但又不能说走，又不便欠伸。

身的动作	表示的情感
上升	起劲，希望，自信
下降	羞惭，失望，消极
展开	得意，放心，快乐
紧缩	畏惧，忧郁，疑惑
活泼	精神焕发

走的姿势

平常的走路，应当是自然而尊严的。头向着那目的地，两手垂下，胸挺直，略俯前，使得身体的重量，容易而且不断地，落在前面一条腿的脚盘上；使得后面那条不负重量的腿，自由而容易搬动。跨步的时候，应是脚盘先落地；除非有特别原因，如疾病与酒醉等，才用脚跟落地；或如奔跳追逐与避人耳目等，才用脚尖落地。

转身的方法

平常的转身，也须自然与美观，动作颇为复杂，不是“一蹴即就”的。（一）如果身体的重量是在左足上，而此刻欲向右转，这还比较简单，只须转动那只自由的不负重量的右足，待到地位已经放对的时候，将身体的重量移放在右足上，同时将身体微转，而让那原来负重的左足，无力的踮在一边。（二）但如重量本在左足上，而此刻欲向左转，这便复杂了。先须将左足所负的重量，移至右足上，而后再移放那自由了的左足，再转身，再将重量移回左足，再让右足摆好；这而且还须是做得很快的。做特别表情，当然是不受这个限制的。

走的表情

（一）表示走路人的特别性格的

神经质的人	步子短，不匀，不稳，不停，方向似乎不一定，两足靠近，颤动，无力
乖戾，即脾气坏的人	步子短，慢，像是一步一步的量着走，不愿意走似的
沉着的人	步子迟钝，腿分得甚开，摇而摆之，时时立起，不起劲
萎靡不振的人	步子随便，无精神，无生气，有时拖着腿走

（二）表示走路人的年岁的

年轻人	步子快而短，间作轻跃
老年人	步子短，摇摇不定，拖着腿（举脚离地不容易）

（三）表示戏剧的情调的

悲剧	步子大，重，慢，谨慎，不苟的
喜剧	步子短，轻，快，活泼，摇摆的

（四）表示其他的

庄严稳重	步子大而慢
地位卑下	步子短而快
激烈感情	步子大而快
谦逊畏惧	步子短而慢
惊骇恐怖	三两步一停，时而行前，时而倒退
沉思打算	行行复立定
狐疑不决	走来走去，方向像他的念头一般，时时改变
鬼头鬼脑（或不欲惊动旁人）	足尖蹑着，落地甚轻；如图 209、210

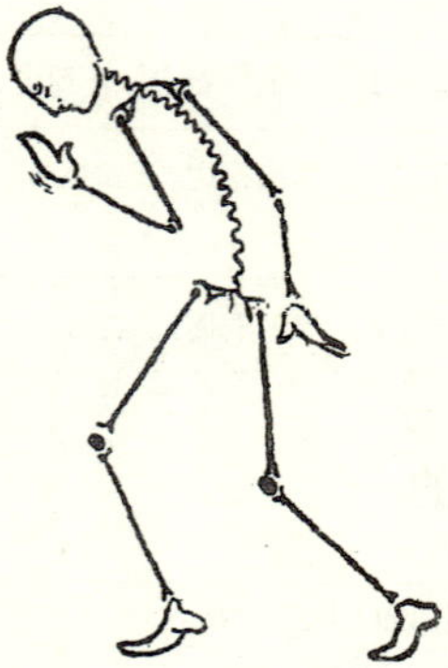

（209）

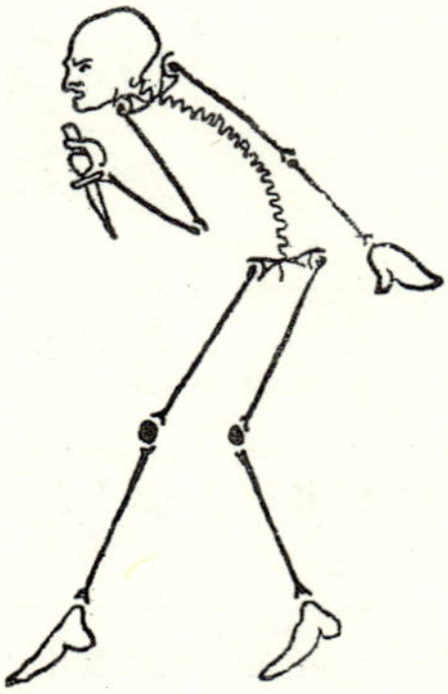

（210）

跌的姿势

跌的时候，应得留意三件事：（一）不可跌得不像，（二）不可跌得令人发笑，（三）不可跌伤或跌痛自己。跌的程序是这样的，如果欲向右面跌下，第一步，将右足稍为移前，右膝微微向外弯，将身体重量，都移放在右足上，这时候右腿本是用足气力。第二步，忽然将右腿里的气力抽去，让体重尽量压下，便可以自然而然地跌倒了。第三步，留神并布置身体各部触地的次序：（一）右腿外面，右股；（二）右肩（右臂在向前伸展中），左手（手掌向下）；（三）右手，头枕在右臂上（只有小部分触地）。这样，凡是触地的部分都是软的，而那最为经不起打击是头与脸面，是始终不曾撞着地的。如图 211。

（211）

跌只有这一个是艺术的方法；不论是立着往前跌倒，或仰后跌倒，或后楼梯上滚下来，或是先跌伏在桌上、椅上或床上，然后再跌在地上，都得“改头换面”

地使用这一个方法：就是体重移在一条腿上，抽去那条腿里气力，侧面倒下，臂手触地而头不触地。

爬起的方法

跌在地上而欲爬起，动作刚与上说的相反：头抬起，两手撑地，身体抬起，移右腿至身下，将左足踏地，作那屈一膝跪的姿势，再移体重至左腿上，然后起立。

合作的表情

脚与膝

（一）两脚并拢，一膝是似乎掩蔽其他一膝——是胆怯，惭愧等类的表情，如图212。

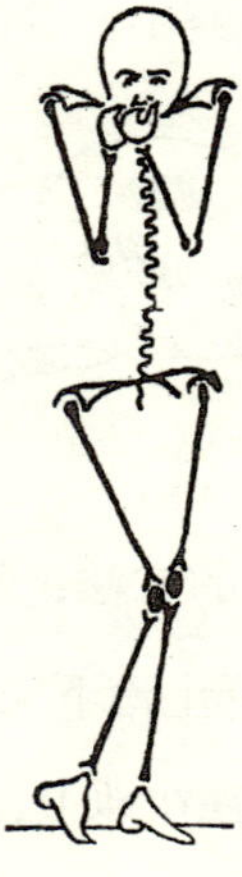

（212）

（二）同前，惟两脚稍离开——是**谦逊**，**退让**等类的表情，如图 213。

（213）

（三）同前，一腿抬起——是**趋避危险**的表情，如图 214。

（214）

身体与腰腹

（一）身向前弯，腹缩进——是羞惭，胆怯，悔恨等类的表情，如图215。

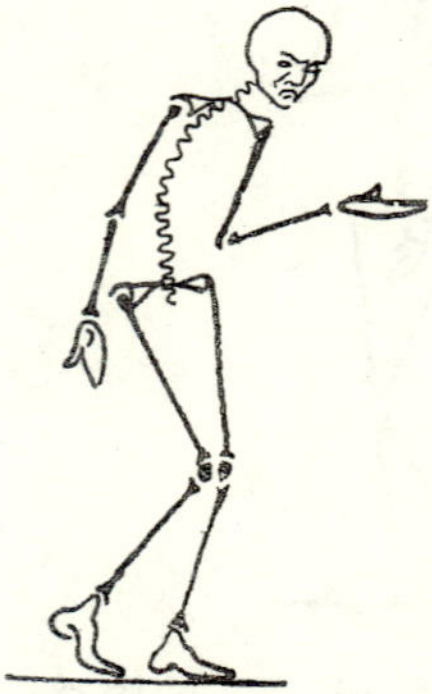

（215）

（二）身向左或右弯——是恭敬，卖弄风情，知足等类的表情，如图216。

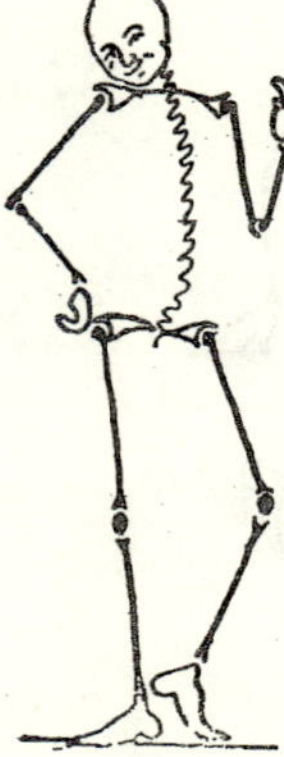

（216）

（三）身体转向一边，腹挺出——是傲慢，反抗，意志坚强等类的表情，如图 217。

（217）

（四）身体转开——是畏惧，不信任，小心，怕事等类的表情，如图 218。

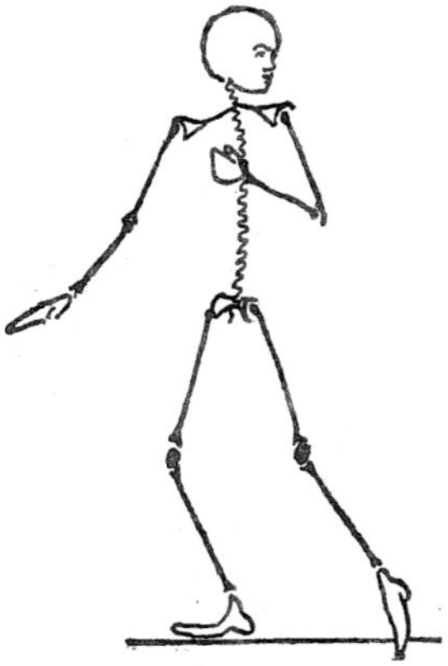

（218）

身与肩

（一）两肩抬起，头缩低，身体向后——是**畏惧，失望，痛苦**等类的表情，如图 219。

（219）

（二）两肩抬起，头缩低，短时期中不动——是**怀疑，不理，不置可否**等类的表情，如图 220。

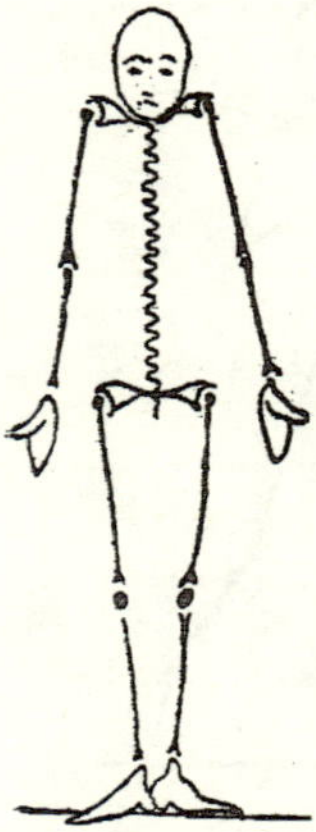

（220）

身与臂

（一）两手举起，两肘外伸——**装腔作势**，如图221。

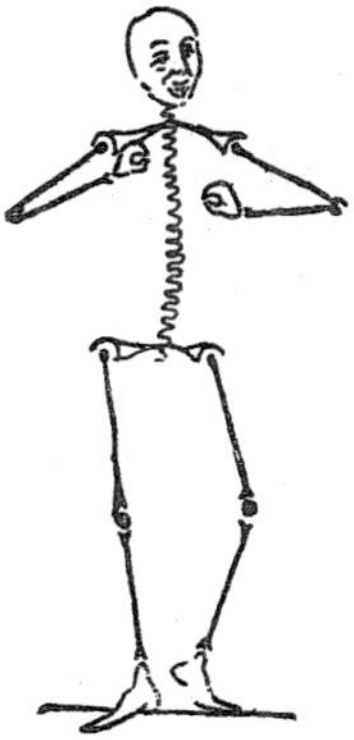

（221）

（二）手臂撑在腰下——**等候**（女人用的姿势），如图222。

（222）

（三）两臂抬起，大拇指伸在背心内——**自满**，有把握，如图 223。

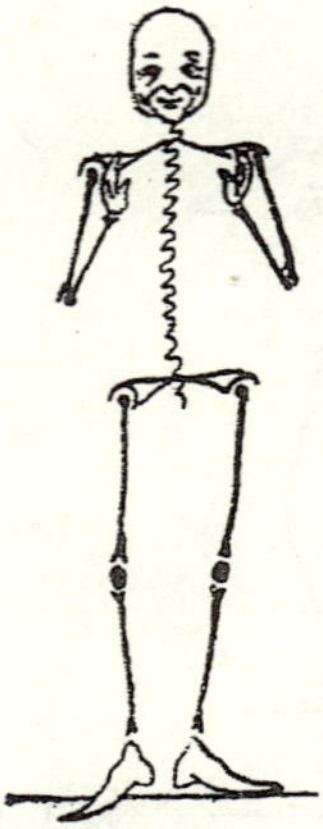

（223）

（四）两臂交折在胸前——**期待**，如图 224。

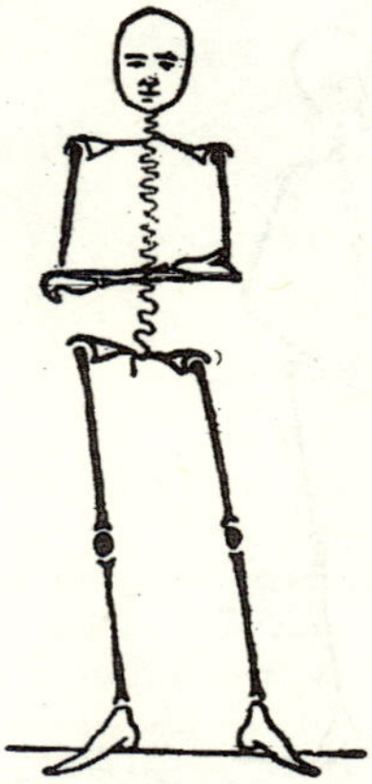

（224）

（五）一臂横在胸前，撑着下巴——**用心思**，如图 225；

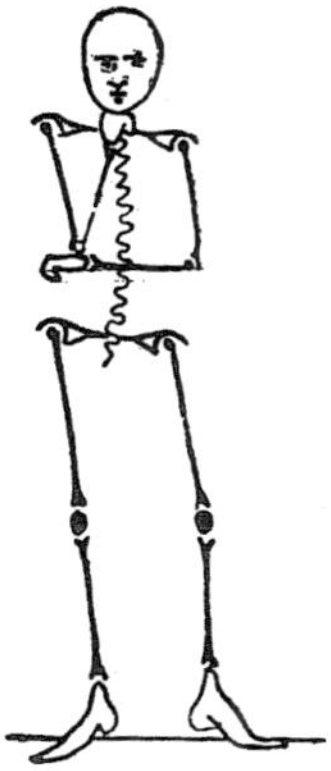

（225）

又、一臂横在胸前，另一手托着腮——**苦思**，如图 226；

（226）

又、一臂横在胸前，另一手抚着头——**为难，痛苦，**如图 227。

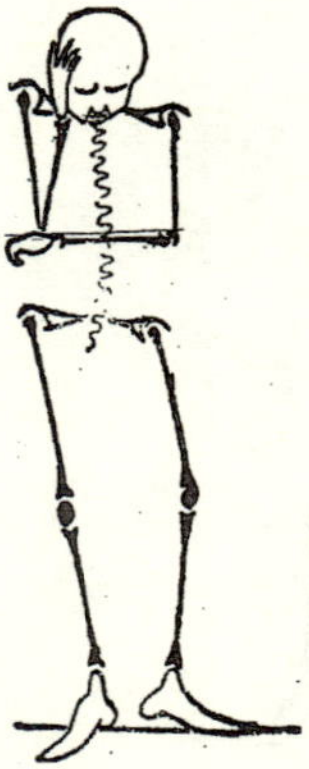

（227）

（六）一手摸头，一手垂下，身向后——**失望**（无办法），如图 228；

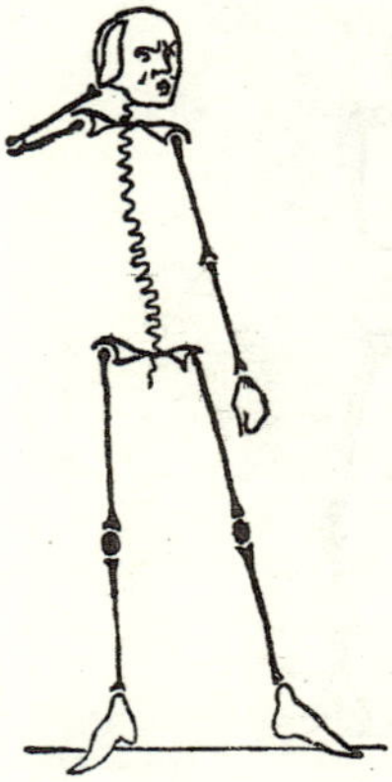

（228）

又、两手同摸头，头缩低——**十分失望**，如图 229；

（229）

又、两手同摸头，头仰后，身向前——**绝望**，如图 230。

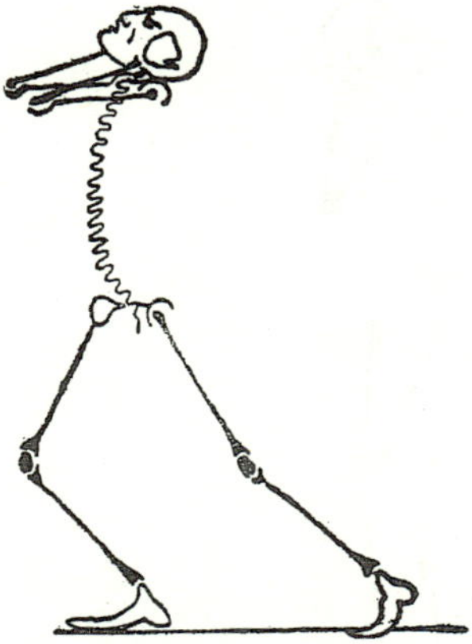

（230）

（七）一臂横举起，高过肩，身冲前——作势打人，如图 231。

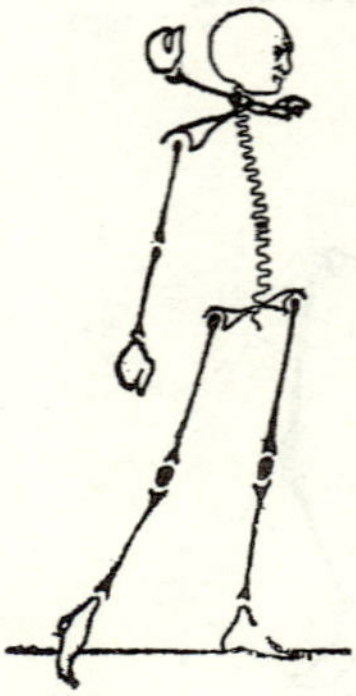

（231）

（八）一臂横举起，高与眉齐，眼从臂下看人，身体侧转一边——怕被打，羞惭，如图 232。

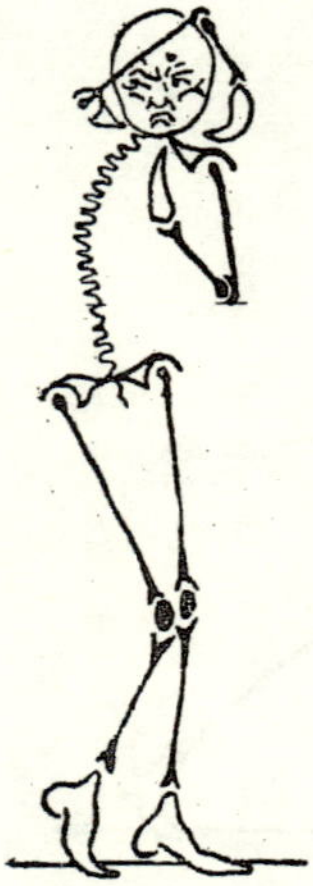

（232）

社交的动作

（一）**以手臂给女人，让她搀扶**——右臂弯而抬起，如图233。

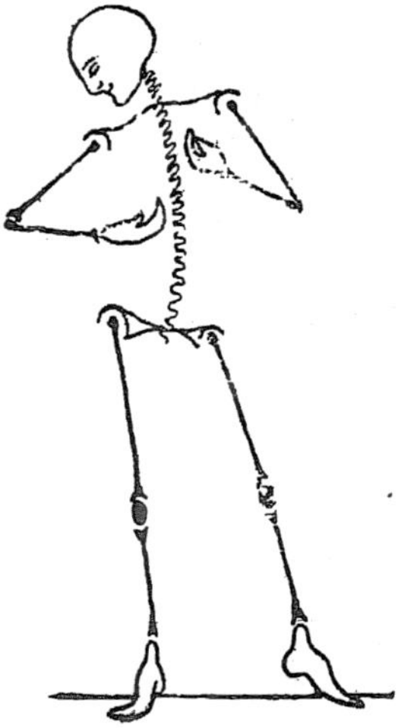

（233）

（二）**男人行礼**——从立正恭敬的地位（参见图195），将一足分开约十寸，如图234；将身体的重量移放在刚才移开的那只腿上，如图235；行礼的时候，须将那自由的不负身重的那只腿收拢，两脚的脚跟，并须轻轻磕碰作声，同时鞠躬；鞠躬的深度，表示恭敬的程度。如图236。

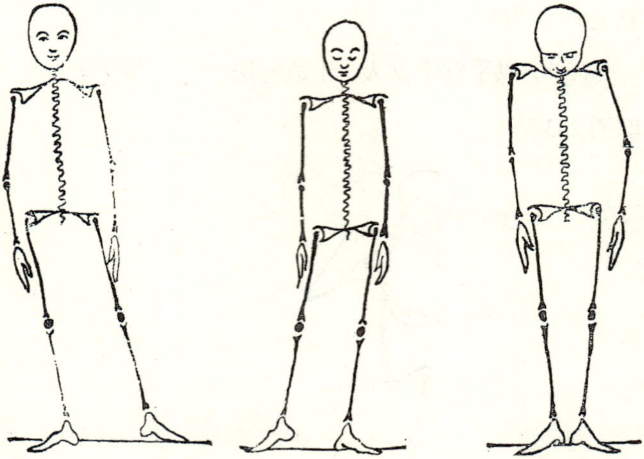

（234）　　（235）　　（236）

（三）**女人行礼**——第一、第二两步的预备工作是和男人行礼时一样的。但在行礼的时候，须将那只自由的不负身重的腿移至身后（如图 237）；再将身体的重量，移放在那只身后的腿上（如图 238）；将这条负重的腿弯屈，身子蹲下去（如图 239）。行礼完毕，立起来，将前面那只不负重的腿缩回。胸与头应当永远是直的。蹲下的低度，表示恭敬的程度（这是欧美的礼节）。

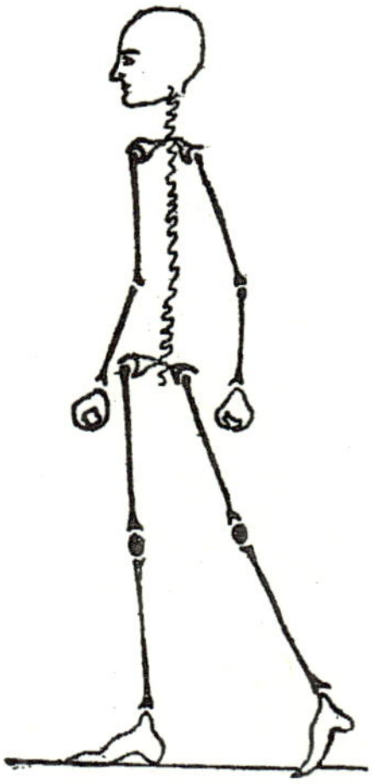

(237)

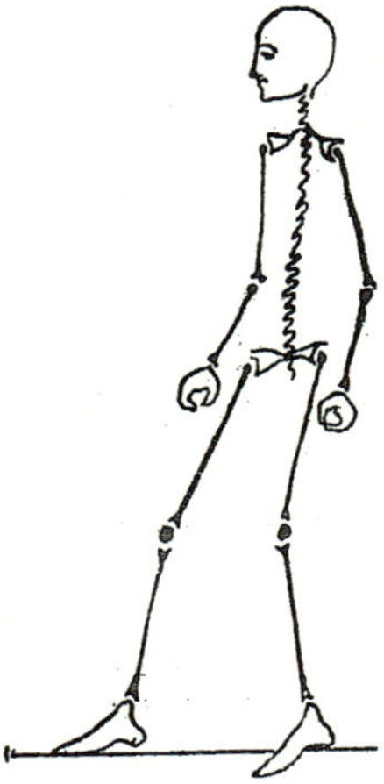

(238)

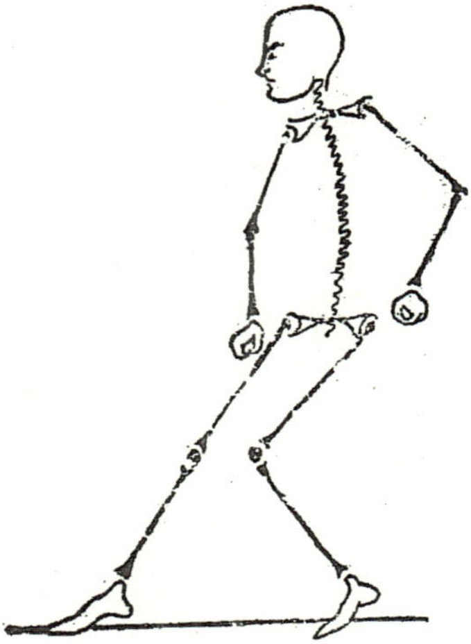

(239)

（四）女人不向人家点头的，除非在坐着的时候。

（五）**少女行礼**——将身体的重量全都移在右足上，将左足移后，将两足同时弯屈。行礼完毕，立直，将左足恢复原来的地位。头与胸是直的；体重始终在左右足上。

（六）**鞠躬的方法**——立正恭敬的地位，腰挺胸直头正，腰里颈里都是用劲的；鞠躬的时候，先抽去颈里的气力，头向前低；至眼睛看不见对方时，再抽去腰里的气力，上身向前弯。弯下的深度，表示恭敬的程度。鞠躬完毕，身子抬起，动作刚和这个相反：先是腰里用力，次是颈里用力，最后头昂起，恢复原来的地位。

动作与表情一览表

	（一）放纵（abandon）	（一）活泼（animation）	（一）注意（attention）	（一）专心（concentration）
头	昂起，再仰后	不用力的伸前	转向对象，再倾侧向对象	俯前
身	展开，再向后弯	展开	展开，再转向对象	展开
腿	平行，分开	一前一后	一前一后，移半步向对象	一腿微前
脚	分负体重，在脚跟	体重在前足的脚盘上	体重在前足的脚盘上	体重在前足的脚盘上
臂	伸前，又向后与向旁用力挥开	举起，从身体斜伸出去	举起，略为离开身体	举起，离身，屈前臂
手	展开，手掌朝前	展开，手掌向上，向下，向前，均无不可	微展，手掌向内	展开
指	伸开	伸开	微伸	伸开（不妨与对象接触）
眼睛	睁大，向两边看	睁大	注视对象	睁大而注视对象
眼皮	展开	展开	如平时	上眼皮展开
眉	展开	如平时	如平时	压低
唇	放松	微张	向前微“努”	微开

	(二)好奇 (curiosity)	(二)活泼 (deliberation)	(二)注意 (eagerness)	(二)专心 (energy)
头	伸前，抬起，再左右转	退后，再慢慢地俯前	伸前	缓缓地伸前
身	展开	收缩胸，亦缩进	展开，再朝前	展开，再朝前
腿	一前一后，前腿略弯	一前一后	一腿移前半步(前腿微弯)	一腿移前一步，前腿微弯
脚	体重在前足的脚盘上(不妨缓缓地来回地走)	体重在后足的脚心上	体重在前足的脚盘上	体重在前足的脚盘上
臂	缓缓将臂举起，前臂向前弯	缓缓将臂举起，前臂向身弯	将臂举起，前臂向前弯	将臂举起，弯前臂与身体成九十度
手	缓缓展开，手掌向下	展开，手掌相反	展开，手掌向下	展开，再坚决地收缩
指	缓缓地将五指各别的伸屈	伸开，再以拇指与其他四指微敲	伸开；又伸屈作握物状	展开，再坚决地收缩
眼睛	东看西视，但每处都注视一物	皱起了注视	睁大，注视	睁大，注视
眼皮	微向上展	下眼皮近鼻处收缩	下眼皮收缩，再将上眼皮展开	展开
眉	微向上展	如平时	展开	如平时
唇	闭拢；下唇包上唇，重复数次	闭紧；伸前缩回数次	张开，再向前伸	闭紧，再向中部收缩

	（三）接受 （acceptance）	（三）证明 （witness）	（三）信仰 （belief）	（三）安定 （repose）
头	微俯	正直	微微点头	正直
身	展开，向前弯	展开	展开，倾向对象	如平时
腿	一腿移前半步	一腿移前一步	一腿移前半步	一腿移后小半步
脚	体重在前足的脚盘上	体重在前足的脚盘上	体重在前足的脚盘上	体重在后足的脚心上
臂	举起向前	举右臂高过肩	举起向前	放松，自然地垂在两旁
手	展开，手掌向上	展开，手掌朝前	展开，手掌向上	放松
指	伸开，再握拢	食指向上	不用力地握拢	放松
眼睛	睁开	如平时	注视	如平时
眼皮	上眼皮微微下垂	如平时	如平时	如平时
眉	如平时	压低	如平时	如平时
唇	微开	不用力的闭拢	微张，再将上唇微抬起	不用力的闭拢

	（四）羡慕（admiration）	（四）爱恋（love）	（四）恭敬（respect）	（四）拥护（扶持）（support）
头	伸前，再抬起	转向对象，再倾侧向对象	正向对象俯前	正直
身	展开	展开，亦转向对象	向前，微弯	展开
腿	一腿移前半步，微弯	一腿上前一步	并拢	向对象移步
脚	体重在前足的脚盘上	跪下	脚跟相触，体重在两足的足心或足跟上	
臂	举起向前	举双臂，划成圈；抱住对象	举右臂向前，屈前横胸前	向前举起，屈前臂向前
手	从腕间竖直，手掌向外，手指向上	抚摹对象	展开，手掌向身	转手向上，展开
指	伸开	伸开	不用力的伸开	伸开
眼睛	睁开	睁开	如平时	同情地望着对象
眼皮	先展开，渐渐地上眼皮垂下	展开下眼皮，再将上眼皮渐渐闭下	如平时	
眉	抬起	如平时	如平时	
唇	放松	放松，口微张	不用力地闭拢	微笑，口角向上

	（五）敌对（antagonism）	（五）不敬（disreyard）	（五）猜疑（suspicion）	（五）怨恨（hatred）
头	抬起，竖直，再退后	转离对象	迅速地伸前，又渐渐地转离对象	昂起，慢慢伸前
身	收缩但举起	转离对象	收缩，并转离对象	收缩，退后，转离对象
腿	一腿移后半步，两腿均用力	一腿移后半步	走离对象	一腿移后半步，两腿均用力
脚	但体重在后足的脚盘或脚心上	体重在后足的足心上		但体重在后足的足心上
臂	举起向前靠近胸	举起，当胸交叉着；再放下	举右臂向对象	向前，高举两臂
手	转手，手掌向前	展开，手掌向下	握拢，手掌向下	展开，手掌相对
指	伸开	伸开	食指向对象	手指收缩，如捏挤一物
眼睛	挤小	如平时	挤小，缓缓地向左右斜睨	睁大，注视
眼皮	慢慢地将眼皮收闭	放下那上眼皮	上眼皮垂下	展至无可再展，再收缩下眼皮
眉	压低并皱起	如平时	压低，再皱起	压低并皱起
唇	用力闭紧，再将中部伸出	用力闭紧，再将上唇微抬	用力闭紧，口角一端拉进	放松，再撅出

	（六）淡漠（indifference）	（六）迟疑（indecjision）	（六）怠惰（indolence）	（六）疲倦（fatigue）
头	随便斜着	俯前，再慢慢抬起，斜着向左右转	慢慢的向左右倾斜	放松，向前垂倒
身	胸缩进，身下降	向各面转	放松，降下胸缩进	放松，胸缩进
腿	两腿随便立着	随便立着	两腿并立，稍开	两足并立，腿里不用力
脚	重量在一足上		足趾相对，体重在两足的足心或足跟上	体重在足跟上
臂	放松	举起向前	移至身前	放松
手	无目的地动	两手相握，手掌相向	两手在一处，手掌俱向上	手掌朝内
指	无目的地动	无目的地动	放松	放松
眼睛	向上斜睨	慢慢地旋转着	无有目的地随便动着	挤小，眼珠下视
眼皮	如平时	如平时	放松	如平时
眉	如平时	如平时	如平时	如平时
唇	放松微开	放松，但不张开	放松，舌尖舐下唇	放松，口角向下

	（七）苦楚（agong）	（七）悲愁（grief）	（七）悔恨（remorse）	（七）羞耻（shame）
头	举起甚高，倒后	低前，摇动	俯前，再缩后抬起，再倒后	低垂
身	收缩扭动	放松，并微摇	举起，放松，向前俯	收缩，再向前放松
腿	轮流提起	并拢，膝里放松	腿里无力	并拢
脚		重量在两足底足心上	跌跪在两膝上	体重在两足的足跟上
臂	举臂至胸前	举手至额	举手至胸再至面	举手至面
手	展开，手掌朝胸	两掌相向捧额	展开，掌朝内，捧头顶	展开，掌朝内，掩面
指	伸直再慢慢的握拢	用力握	用力握	手指朝上
眼睛	睁开	睁开，慢慢地向左右看	挤小，斜着向上看	睁开，再朝上视
眼皮	时张时闭	上眼皮收缩，慢慢的闭拢	展开下眼皮	展开，再将上眼皮垂下
眉	皱紧，再在眉心抬起	皱紧，再抬起	压低并皱紧，再在眉心抬起	展开
唇	闭紧，缩进，口角向下	口微开，口角朝下	闭紧，下唇放松，口张开，再将口角拉下，微抬上唇	闭拢，微抬下嘴唇包住上唇，口角放松

	（八）窘迫（embarrassment）	（八）忧虑（anxiety）	（八）烦恼（worry）	（八）失望（despair）
头	俯前，斜向对象	迅速向前，再慢慢地向左右转	向前微俯再伸出，左右转	俯前，再垂下
身	扭曲在一边	迅速地展开与收缩	迅速地展开与收缩	收缩，朝前俯
腿	并立，稍开，两膝相向	无目的地走着	无目的地走着	并立，但微开
脚	重量在两足的脚盘上			体重在两脚的脚跟上
臂	靠紧身体，肘向外	移前举起前臂，两手相握	靠紧身体，举起前臂	放松
手	展开，手背靠身	掌相向，或朝下	半握	放松，手掌向后
指	伸屈不停	两手绞扭	手掌，或手背相拍，或手指绞扭	
眼睛	斜着向上向下的睨	慢慢地向左右视	睁开，左右视又上下视，旋转不停	上视
眼皮	上眼皮垂下	睁开或闭合	时张时闭	上眼皮垂下，下眼皮展开
眉	展开	抬起与皱紧	皱紧，再在眉心抬起	抬起，再皱紧，再在眉心抬起
唇	闭紧先抬一口角再抬另一口角，重复着	口微开，口角向下，下唇上下的动	闭紧，缩进，好像在咬着	放松，口张开，口角朝下上唇中间抬起

	（九）惊讶（surprise）	（九）畏惧（fear）	（九）胆怯（timidity）	（九）屈服（surrender）
头	抬起，迅速地缩后	抬起，不动	慢慢的缩后，转离对象	垂下
身	收缩与退后	展开又收缩，微震	收缩，转离对象	退后，并俯前
腿	一腿移后半步，膝微弯	保持原来地位，不动	并拢，足趾相向	放松，并拢
脚	体重在后足的脚跟上		体重在足底足心上	
臂	举起前臂，举起手	稍微离开身体	靠紧身体	放松，垂下着，肘向身体
手	展开，手掌向前	展开手掌向下	手略展，手掌朝前	放松，手掌向前
指	手指朝上	时屈时伸，抖动	放松，或没有注意的动	放松
眼睛	睁大	睁至无可再睁，眼睛一刻不停地旋转着	斜着上下看	睁大眼睛，向下视
眼皮	展开	展开	如平时	上眼皮垂下
眉	展开	展开，再皱紧，上下的动	微抬	如平时
唇	放松，口张开	完全放松，口大张，唇微震	不用力的闭着，时时努出又收进	放松

	（十）软弱（weakness）	（十）放弃（resignation）	（十）牺牲（sacrifice）	（十）求告（appeal）
头	斜着垂前	抬起，侧向一边，倒后或垂前	慢慢的伸前，再抬起	慢慢的伸前，再慢慢抬起
身	放松，向前俯	放松	并拢	展开与收缩，向后仰
腿	膝里放松，勉强立住	移一步向后	并拢	移一腿向前
脚		体重在后足的脚心上	双膝跪下	体重在前足的脚盘上，屈一膝跪下
臂	放松	举起前臂近胸	举前臂高过头	举臂朝前，前臂伸出
手	放松，手掌向内	展开，掌向内，两手叠起	展开，掌向上	展开掌向上
指	无目的地触着身体	手指向上	伸开	伸开
眼睛	下视，再慢慢的左右视	向上视	向上视	向上视
眼皮	上眼皮垂下	慢慢地闭合	展开	上眼皮抬起
眉	如平时	如平时	如平时	如平时
唇	口微张，下唇放松	闭紧，口角微朝下，上唇微露出	上唇不用力的抬起，口角向下	口微闭，唇稍为伸前

	（十一）满意 （satisfaction）	（十一）喜悦 （toy）	（十一）麻醉 （intoxication）
头	伸前，倾侧慢慢的上下动	伸前，慢慢的抬起	无目的地动
身	不用力的展开与收缩	展开	放松
腿	并立	移一足向前	脚步不稳
脚	体重在两足的足心上微跃	重量在前足的脚盘上	
臂	举前臂向前	举前臂向前	无目的地动
手	举手掌朝外	两手在胸前相握	
指	手指伸开，或两手相握	再微微拍抚胸部	
眼睛	睁大	睁大	慢慢地旋转着
眼皮	展开	上眼皮慢慢抬起	下眼皮放松，再上眼皮放松
眉	展开	眉心抬起，眉毛微动	眉毛抬起微动
唇	很快地张开，口角朝上	口微张，口角向上	放松，舌微伸出，盖下唇

注：此表系根据 Florence Lutz 所著 *The Technique of Pantomime* 制成，目的在将几种类似的表情，相互对比显出它们的分别，并非能如字典“手书”之类，将一切情绪包括无遗。读者欲查询身体各种动作，请仍查阅表演术图解，其中所说的，是比较完备的。

参考书

1. John B. Watson：*Behaviorism*

2. Daniel Bell Leary：*Modern Psychology*，*Normal and Abnormal*

3. Walter B. Pitkin：*How To Write Stories*

4. Charles Darwin：*Expressions of Emotions in Men and Animals*

5. Charles Aubert：*The Art of Pantomime*

6. Florence Lutz：*The Technique of Pantomime*

7. T.Earl Pardoe：*Pantomim es for Stage and Study*

8.（Ed.）Robert D. Blackman：*Voice*，*Speech*，*aed Gestures*

9. 方宾观、章寿栋：《国音新教本》

10. 陆衣言：《国语罗马字使用法》

11. 张世禄:《中国声韵学概要》

12. 沈乘麐:《韵学骊珠》

13. 沈宠绥:《度曲须知》

14. 王季烈:《集成曲谱》

15. Joseph A.Mosher : *The Effective Speaking Voice*

16. S. S. Curry : *Mind and Voice*

17. S. S. Curry : *Lessons in Vocal Expression*

18. S. S. Curry : *Imagination and Dramatic Instinct*

19. Louis Calvert : *Problems of the Actor*

20. H. L. Andrews&B. Weirick : *Acting and Play-Prodaetion*

21. Arthur Hornblow : *Training for the Stage*

22. Agnes Platt : *Practical Hints on Training for the Stage*

23. Violet M. Methley : *The Amateur Actor's Companion*

24. Allen Crafton&Jessica Royer : *Acting*

25. Gustave Garcia : *The Actor's Art*

26. George E. Soea : *Acting in Opera*

27. Inez and Helen Klumph : *Screen Acting*

28. Percy Fitzgerald : *The Art of Acting*

29. Brander Mattews : *On Acting*

30. F. F Mackay : *The Art of Acting*

31. George Henrv Lewes : *On Actor and Art of Acting*

32. William Archer : *Masks and Faces*

33. Walter Prichard Eathn : *Plays and Players*

34. Sarah Bernhardt : *The Art of the Theater*

35. Four Volumes : *On Acting-Dramatic Museum of Columbia University*

三联经典文库第二辑简目

《游击战教程》　明凡 / 著

《游击战术纲要》　陶剑青 / 编著

《汪精卫卖国的理论与实践》　钱俊瑞 / 著

《抗战以来》　韬奋 / 著

《陕行纪实》　楚云 / 著

《随军散记》　沙汀 / 著

《被日寇囚系半载记》　王研石 / 著

《倭营历险记》　房沧浪 / 著

《活跃的新西北》　田影 / 编著

《保卫华北的游击战》　刘清扬　陈北鸥等 / 著

《徐州突围》　《徐州突围》编委会 / 编

《沦亡的平津》　长江　小方等 / 著

《淞沪火线上》　胡兰畦等 / 著

《瞻回东战场》　长江　罗平 / 著

《东线的撤退》　胡兰畦等 / 著

《抗战中的西北》　徐盈 / 著

《鲁闽风云》　徐盈等 / 著

《西线生活》　西北战地服务团集体创作

《中国解放区见闻》　［美］福尔曼著 / 朱进译

《全面抗战论》　潘汉年 / 著

《日本的间谍》　范士白自述 / 尊闻译

《日本大陆政策的真面目》　国难资料编辑社 / 编

《民众动员论》　李公朴 / 著

《中国外交史》　钱亦石 / 编著

《太平洋军事地理》　蒋震华 / 著

《世界经济地理讲话》　思慕 / 著

《列强军力论》　［德］马克斯 · 威纳尔著 / 宾符　仲持　梅益等译

《近代国际关系史》　张铁生 / 著

《太平洋现势手册》　沈志远　石啸冲 / 编著

《近代世界政治史》　钱亦石 / 著

《从战争到和平——一九四五年的世界政治》　乔木 / 著

《战后日本问题》　思慕 / 著

《最近一年间的国际动态（1946.7—1947.6）》　《东北日报》社 / 编

《论政党》　翟放 / 著

《法与宪法》　韩幽桐 / 编著

《中华民国宪法刍议》　罗家衡 / 著

《民主 · 宪法 · 人权——作之民》　费孝通 / 著

《宪法论初步》　潘念之 / 著

《对反民主的抗争》　韬奋 / 著

《农村改进的理论与实际》　江恒源 / 著

《上海产业与上海职工》(上下)　　朱邦兴　胡林阁　徐声 / 合编

《陶行知教育论文选辑》　　陶行知著 / 方与严编

《中国通货膨胀论》　　杨培新 / 著

《中国及其未完成的革命》　　H·普拉特著 / 蒋天佐译

《中国的建设问题与人的训练》　　卢作孚 / 著

《论中国特殊性及其他》　　艾思奇 / 著

《中国经济问题讲话》　　钱俊瑞　徐雪寒　王渔邨　姜君辰　骆耕漠 / 合著

《中国经济的道路》　　许涤新 / 著

《中国财政之病态及其批判》　　孙怀仁 / 著

《官僚资本论》　　许涤新 / 著

《五四运动之史的评价》　　陈端志 / 著

《中国通史简编》(上下)　　中国历史研究会　范文澜 / 主编

《论文学的工农兵方向——读〈在延安文艺座谈会上的讲话〉》　雪苇 / 著

《中国近代史(上编　第一分册)》　　武波 / 编著

《文学百题》　　傅东华 / 编

《中国史学之进化》　　周谷城 / 著

《论民族形式问题》　　胡风 / 著

《论批评》　　荃麟等 / 著

《中国史纲》(第一卷上下、第二卷上下)　　翦伯赞 / 著

《近代中国思想学说史》(1–4)　　侯外庐 / 著

《中国政治思想史》（上下）　吕振羽 / 著

《中国哲学史纲要》　向林冰 / 著

《中国政治史讲话》　钱亦石 / 著

《中国社会经济史纲》　王渔邨 / 著

《新财政学大纲》　千家驹 / 著

《太平天国革命运动论文集——金田起义百周年纪念》

华北大学历史研究室 / 编

《理性与自由——文化思想批评论文集》　胡绳 / 著

《战斗者的诗人》　黄药眠 / 著

《国语文法》　曹朴 / 著

《教育哲学》　张栗原 / 著

《妇女问题讲话》　杜君慧 / 著

《婚姻 · 子女 · 继承》　沙千里 / 著

《性教育新论》　布士克　雅各生合著 / 董秋斯译

《狱中杂感》　杜重远 / 著

《七人之狱》　沙千里 / 著

《爱迪生传》　伍况甫 / 译

《歌德自传》（上下）　歌德著 / 思慕译

《尼赫鲁自传》　［印度］尼赫鲁著 / 毕来译

《列宁传》　［苏］凯尔任采夫著 / 企程　朔望译

《罗斯福总统传》　C. Mackenzie 著 / 张尚之译

《托尔斯泰传》（1–3）　［英］阿尔麦 · 莫德著 / 徐迟译

《革命文豪高尔基》　［美］亚历山大·康恩著 / 韬奋编译

《鲁迅纪念特辑》　新中国文艺社 / 编

《回忆鲁迅先生》　萧红 / 著

《人民文豪鲁迅》　平心 / 著

《亡友鲁迅印象记》　许寿裳 / 著

《鲁迅思想研究》　何干之 / 著

《鲁迅研究》　夏征农 / 编

《过来的时代：鲁迅论及其他》　雪峰 / 著

《电影戏剧表演术》　洪深 / 著

《日常心理漫谈》　［美］约瑟夫·查斯特罗著 / 曾宝施译

《心理常识漫话》　朱智贤　杨云美 / 著

《读书的方法与经验》　王任叔 / 著

《美国黑人生活纪实》　［美］加德维尔　斯坦倍克著 / 董秋斯译

《初访美国》　费孝通 / 著

《事业与成功》　［美］马尔腾著 / 汪原放译

《萍踪寄语（初集）》　韬奋 / 著

《一生的幸福前途——〈生活周刊〉信箱选集》　生活书店 / 编选

《深刻的印象》　生活周刊社 / 编

《海外的感受》　生活书店编译所 / 编

ISBN 978-7-108-04764-9
9 787108 047649 >
定价：35.00元